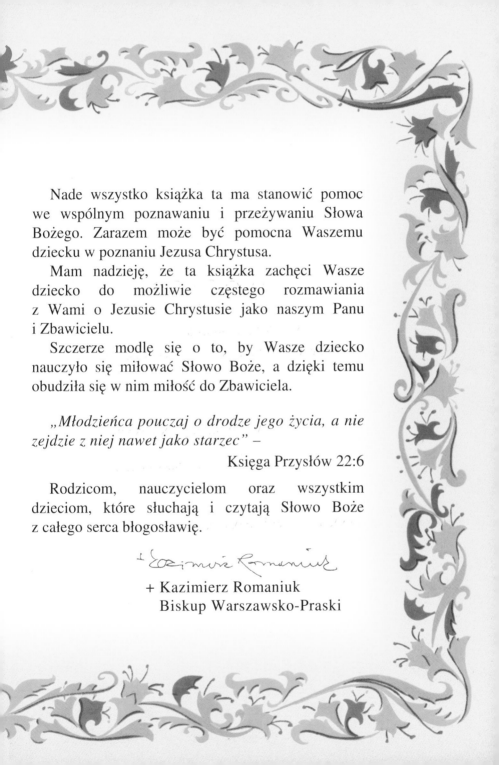

Nade wszystko książka ta ma stanowić pomoc we wspólnym poznawaniu i przeżywaniu Słowa Bożego. Zarazem może być pomocna Waszemu dziecku w poznaniu Jezusa Chrystusa.

Mam nadzieję, że ta książka zachęci Wasze dziecko do możliwie częstego rozmawiania z Wami o Jezusie Chrystusie jako naszym Panu i Zbawicielu.

Szczerze modlę się o to, by Wasze dziecko nauczyło się miłować Słowo Boże, a dzięki temu obudziła się w nim miłość do Zbawiciela.

„Młodzieńca pouczaj o drodze jego życia, a nie zejdzie z niej nawet jako starzec" –

Księga Przysłów 22:6

Rodzicom, nauczycielom oraz wszystkim dzieciom, które słuchają i czytają Słowo Boże z całego serca błogosławię.

+ Kazimierz Romaniuk
Biskup Warszawsko-Praski

Na podstawie
Biblii Warszawsko-Praskiej
tłumaczonej przez
ks. bp. Kazimierza Romaniuka
opracował
ks. Jerzy Banak
Tłumaczenie z języka polskiego:
Bożena Olechnowicz

Projekt okładki:
Anna Szewczuk

tel. 22 614 48 89; 501 983 528
e-mail: wydawnictwo.opoka@wp.pl

ISBN 978-83-913256-6-7

BIBLIA
dla dzieci

The children's
BIBLE

Krok za krokiem przez tę księgę

STARY TESTAMENT

NOWY TESTAMENT

Stary
Testament

Old
Testament

Stworzenie świata

Księga Rodzaju 1: 1-19

Spójrz na tą cudowną, dużą kulę na niebie! To nasza planeta – Ziemia. Gdybyś stanął na księżycu, tak by stamtąd wyglądała. Widziałbyś także gwiazdy. Całe niebo jest ich pełne. Dawno, dawno temu było jednak zupełnie inaczej. Wszędzie było ciemno. To nie podobało się Bogu. Wtedy Bóg postanowił uczynić światłość i oddzielić ją od ciemności. Potem stworzył niebo i ziemię. Na niebie pojawiło się słońce, księżyc i tysiące gwiazd. Na ziemi zaś morze, oceany i suchy ląd. Na lądzie pojawiła się bujna roślinność. Wyrosły drzewa, kwiaty i trawa. Jakże było pięknie.

1. Czy cieszysz się, że Bóg stworzył nasz cudowny świat?
2. Czy powiedziałeś Mu już za to „Dziękuję"?
3. Czy chciałbyś to zrobić teraz?

The Creation of the World

Genesis 1:1-19

Look at this beautiful big ball in the sky! This is our planet – the earth. If you were standing on the moon this is what it would look like. You could also see the stars. The sky is full of them. But a long, long time ago it was not so. It was dark all around. And God did not like it. So He decided to create light and separate it from darkness. Then He made the sky and the earth. He created the sun, moon and thousands of stars. The seas, oceans and dry land appeared on the earth. Lush vegetation covered the land. There were the trees, flowers and grass everywhere. How beautiful it was!

1. Are you glad that God created our wonderful world?
2. Have you said 'Thank you, God' yet?
3. Would you like to do it now?

Co tu widzisz?

Ten obraz Ziemi pokazuje wiele krajów. Czy potrafisz znaleźć miejsce, gdzie mieszkasz? Jeśli nie, to poproś, aby ci je ktoś pokazał.

What can you see?

There are many countries shown in this picture of the world. Can you find the place where you live? If not, ask someone to show it to you.

Pierwsze zwierzęta
Księga Rodzaju 1: 20-25

C o by było, gdyby nie istniały żadne zwierzęta? Cały świat byłby smutny i pusty. Bóg pomyślał, że na Jego prześlicznym świecie brakuje zwierząt. Morza były puste, nie pływały w nich ryby. Na drzewach nie siedziały ćwierkające ptaszki, a po ziemi nie biegały zebry, żyrafy i słonie. I stało się tak, jak Bóg zaplanował. Nagle pojawiły się ryby, ptaki i różne zwierzęta. Na świecie zrobiło się nie tylko kolorowo, ale także bardzo wesoło. Mały kotek bawił się z pieskiem, a baranek smacznie spał w objęciach wilka. Młody lew wylegiwał się na trawie, grzejąc się w promieniach słońca.

1. Kto stworzył te wszystkie zwierzęta?
2. Czy chciałbyś przebywać w tym miejscu?
3. Czy czułbyś się tam bezpiecznie?

The First Animals
Genesis 1:20-25

What would the world look like if there were no animals at all? The whole world would be a sad and empty place. God noticed that something was missing in His beautiful world. The seas were empty; there were no fish in the water. There were no birds chirping in the trees. There were neither zebras, nor giraffes, nor elephants. But God had a plan. He made the fish, birds and other animals. The world became not only a colorful but also a joyful place. A small kitten played with a puppy and a lamb slept in a wolf's embrace. A lion's cub lay in the grass basking in the sun.

1. Who created all these animals?
2. Would you like to be in such a place?
3. Would you feel safe there?

Co tu widzisz?

Ile różnych zwierząt widzisz na tym obrazku? Co jeszcze widzisz? Jak myślisz, dlaczego te zwierzęta tak zgodnie ze sobą żyją?

What can you see?

How many different animals can you see in the picture? What else can you see? Why do you think the animals are so peaceful?

Rajski ogród
Księga Rodzaju 2

Czy jest na świecie miejsce, które najbardziej ci się podoba? Dawno temu Bóg stworzył takie szczególne miejsce i nazwał je rajskim ogrodem. Wtedy postanowił uczynić pierwszego człowieka. Ulepił go z gliny i dał mu imię Adam. Potem stworzył też kobietę, a Adam nazwał ją Ewą. Bóg przykazał pierwszym ludziom, aby dbali o ogród. Mieli w tym ogrodzie wszystko, czego potrzebowali do życia. Nigdy nie chorowali, nie mieli żadnych problemów i nigdy nie byli zmęczeni. To było tak, jakby zawsze mieli wakacje. Byli szczęśliwi i bardzo kochali Boga.

1. Kim są ci ludzie?
2. Dlaczego są tacy szczęśliwi?
3. Jak nazywa się ogród, który jest ich domem?

Paradise
Genesis 2

Is there a place in the world which you like best? A long time ago God created such a place - a garden He called Paradise. Then He decided to make the first man. He made him of clay and called him Adam. Then He created a woman too. Adam called her Eve. God told the first couple to take care of the garden. In the garden they had everything they needed to live. There was no sickness; they did not have any problems; they were never tired. It was as if they were on vacation all year long. They were very happy and they loved God.

1. Who are these people?
2. Why are they so happy?
3. What is the name of the garden in which they live?

Co tu widzisz?

Spójrz na te ptaki i rośliny? Obejrzyj te zwierzęta. Które z nich widziałeś już kiedyś tam, gdzie mieszkasz? Ile różnych roślin i zwierząt możesz rozpoznać na tym obrazku?

What can you see?

Look at these birds and plants. Look at the animals. Can you see any of them in your country? How many plants and animals in the picture can you name?

Pierwszy grzech

Księga Rodzaju 3

Jakże pięknie byłoby mieć wszystko, czego tylko zapragniemy. Adam i Ewa mieli wszystko. Powinni być szczęśliwi. Mogli jeść owoce z każdego drzewa znajdującego się w ogrodzie. Był jednak pewien wyjątek. Bóg surowo zabronił zerwać choćby jeden owoc z drzewa znajdującego się pośrodku ogrodu. Pewnego dnia szatan przybrał postać węża i ukradkiem zbliżył się do Ewy. Szatan nie kocha Boga i zawsze namawia ludzi do robienia złych rzeczy. Tak kusząco przemawiał do kobiety, że namówił ją do zerwania owocu. Ewa zjadła owoc, a potem podała Adamowi, który też go zjadł. Ludzie zasmucili Boga, okazali Mu nieposłuszeństwo. Musieli ponieść srogą karę. Zostali wygnani z raju. Z rozpaczą opuścili piękny ogród.

1. *Kim są ci ludzie?*
2. *Dokąd oni idą?*
3. *Dlaczego musieli opuścić to wspaniałe miejsce?*

First Sin

Genesis 3

How wonderful it would be to have everything we want. Adam and Eve had everything. They should have been happy. They could eat fruit from any tree in the garden. Except one. God them not to eat from the tree which grew in the middle of the garden. One day Satan in the form of a snake appeared before Eve. Satan does not love God and he is always trying to make people do bad things. He spoke so temptingly to the woman that he convinced her to pick the fruit. Eve ate the fruit and then she gave it to Adam and he ate it too. They disobeyed God and made Him sad. They had to be punished. And so they were driven out of Paradise. They left the beautiful garden weeping.

1. *Who are these people?*
2. *Where are they going?*
3. *Why did they have to leave this beautiful place?*

Co tu widzisz?

Czy Adam i Ewa patrzą do przodu, czy do tyłu? Dlaczego oglądają się wstecz? Czy możesz zobaczyć, co znajduje się za nimi?

What can you see?

Are Adam and Eve looking forward or backward? Why are they looking back? Can you see what is there behind them?

Budowa arki
Księga Rodzaju 6

Spójrz, jak ciężko pracują ci mężczyźni! Jeden z nich to Noe. Trzej pozostali to jego synowie. Sąsiedzi śmieją się z Noego i jego synów. Po co budować tak dużą arkę? Nie było tam przecież żadnego morza, ani nawet rzeki lub jeziora. Bóg zamierzał zesłać na ziemię potop. Na świecie było już mnóstwo ludzi, a wszyscy byli źli i nieposłuszni Bogu. Tylko jeden człowiek kochał Boga. Był to Noe ze swoją rodziną. Przez wiele lat Noe ostrzegał ludzi przed nadchodzącą karą, ale nikt nie chciał go słuchać. Wszyscy cały czas się śmiali i nie mogli już słuchać stukania młotków, które rozlegały się całymi dniami. Mieli już dosyć tego hałasu.

1. Kim są ci czterej mężczyźni stojący obok arki?
2. Po co budują arkę?
3. Co chciałbyś powiedzieć sąsiadom Noego?

The Construction of the Ark
Genesis 6

Look how hard these men are working! One of them is called Noah. The other three men are his sons. The neighbors are laughing at Noah and his sons. Why are they building such a big boat? There was not any sea nearby, nor river, nor lake. But God planned to send a flood to the world. There were many people in the world, but they were all wicked; they disobeyed God. Only one man loved God. That was Noah and his family. For many years Noah had been warning people that punishment was coming but nobody listened. They all mocked Noah. They could not stand sound of hammers clattering all day long. They were fed up with the noise.

1. Who are these four men standing near the ark?
2. Why are they building the ark?
3. What would you like to tell Noah's neighbors?

Co tu widzisz?

Ilu mężczyzn widzisz na obrazku? Którzy z nich są sąsiadami Noego? Co mówią o Noem? Czy widzisz gdzieś w pobliżu arki wodę? Skąd weźmie się tam woda?

What can you see?

How many men are there in the picture? Which of them are Noah's neighbors? What are they saying about Noah? Can you see any water around? Where is the water going to come from?

Do arki Noego przybywają goście
Księga Rodzaju 7: 1-16

Noe i jego synowie budowali arkę przez wiele lat. Aż nadszedł dzień, gdy przybili ostatnią deskę. Arka była gotowa. Jednak praca Noego nie była jeszcze zakończona. Bóg polecił mu zabrać do arki wszystkie zwierzęta. Jedne po drugich, duże i małe weszły do środka, a Noe miał dla każdego miejsce przygotowane na cały okres potopu. Wyobraź sobie to mruczenie, miauczenie, szczekanie i ćwierkanie! Źli ludzie widzieli te przygotowania, ale nadal nie chcieli słuchać Noego. Jakże potem będą żałować! Gdy Noe wszedł z rodziną do arki, Bóg zamknął za nimi drzwi. Jeszcze przez siedem dni nic złego się nie działo. Arka stała nieruchomo, a ludzie chodzili dookoła i w dalszym ciągu śmiali się z Noego.

1. Dlaczego zwierzęta idą do arki?
2. Kto zamknął drzwi arki?
3. Co powiedziałbyś Noemu, kiedy spadła pierwsza kropla deszczu?

Guests Come to Noah's Ark
Genesis 7:1-16

Noah and his sons had been building the ark for many years. And finally the day came when they nailed in the last plank. The ark was ready. But Noah's work was not finished yet. God told him to gather animals in the ark. One by one, small and big animals walked into the ark. Noah had prepared enough room for all the animal for the whole time of the flood. Imagine all the meowing, barking and chirping in the ark! Bad people saw all the preparations but they still did no want to listen. How sorry they would be soon! When Noah and his family went into the ark God shut the door behind them. For seven days nothing happened. The ark just stood there and people walked around mocking Noah.

1. Why are the animals going into the ark?
2. Who shut the door of the ark?
3. What would you tell Noah when the first drop of rain fell?

Co tu widzisz?

Ile różnych zwierząt widzisz na tym obrazku? Czy wiesz dlaczego idzie para z każdego gatunku? Kim jest ten mężczyzna po lewej stronie? Kim są pozostali mężczyźni?

What can you see?

How many different animals can you see in the picture? Do you know why there is always a pair of animals of every kind? Who is the man standing on the left? Who are the rest of the men?

25

Potop
Księga Rodzaju 7: 17-9: 17

iemne chmury zasłoniły niebo. Ciężkie krople deszczu zaczęły uderzać o dach arki. A potem lunął taki deszcz, jakiego jeszcze na ziemi nie było. Wydawało się, że nigdy nie przestanie padać. Sąsiedzi Noego bardzo żałowali, że nie usłuchali Boga, ale było już za późno. Wkrótce całą ziemię pokryła woda. Tylko zwierzęta i ptaki w arce były bezpieczne. Także Noe i jego rodzina ocaleli. Deszcz padał przez czterdzieści dni i nocy. Zginęli wszyscy ludzie, wyginęły rośliny i zwierzęta. Uratowani ludzie byli szczęśliwi, kiedy deszcz wreszcie ustał. Podziękowali Bogu za ocalenie, a Bóg rozciągnął na niebie tęczę na znak obietnicy, że nigdy więcej nie ześle na ziemię potopu.

1. Czy potop już minął?
2. Czy widzisz tęczę na niebie?
3. Co robi Noe i jego rodzina?

The Flood
Genesis 7:17-9:17

Dark clouds covered the sky. Heavy raindrops began to drum on the ark's roof. And then the rain started pouring like never before. It looked as if it would never stop. Noah's neighbors were sorry that they had not listened to God but it was too late. Soon the whole world was flooded with water. But the birds and the animals in the ark were safe. Noah and his family were safe too. It rained for forty days and nights. All the people disappeared as well as all the animals and plants. Noah's family was happy when it finally stopped raining. They thanked God for saving them and God put a rainbow in the sky as a sign that He would never send a flood to the world again.

1. Is the flood over yet?
2. Can you see the rainbow in the sky?
3. What are Noah and his family doing?

Co tu widzisz?

Ile osób widzisz na tym obrazku? Jak myślisz, która z tych osób to Noe? Co on robi? Jest też żona Noego, a także jego synowie z żonami. Potop minął, a oni dziękują Bogu za to, że ich ocalił od śmierci.

What can you see?

How many people are there in the picture? Which one of them do you think is Noah? What is he doing? You can also see Noah's wife, his sons and their wives. The flood is over and they thanking God for saving them.

Wieża Babel

Księga Rodzaju 11: 1-9

Ludzie chętnie wznoszą duże budowle. Spójrz na tych, którzy budują tę wysoką wieżę. Wznosi się ona coraz wyżej i wyżej. Na ziemi żyło znowu dużo ludzi. Wszyscy mówili jednym językiem. Pewnego dnia postanowili zbudować wieżę sięgającą aż do nieba. Wtedy bez Bożej pomocy mogliby się tam dostać. Bogu nie podobało się to, co ludzie robili i nie pozwolił im dokończyć budowy. Pomieszał im mowę i zaczęli mówić różnymi językami. Ludzie przestali się rozumieć. Nie mogli już dłużej razem pracować. Rozeszli się i nie dokończyli budowy swojej wysokiej wieży. Miejsce to nazwano „Babel", co znaczy „pomieszanie".

1. Co robią ci ludzie?
2. Jak wysoką wieżę zamierzają zbudować?
3. Dlaczego przerwali budowę?

The Tower of Babel

Genesis 11:1-9

People like to build high buildings. Look at these men building a huge tower. It is towering higher and higher. There are many people living in the world again. They all speak one language. One day they decided to build a tower reaching to heaven. If they could do this then they would be able to enter heaven without God's help - at least they thought so. God did not like what they were doing so He did not allow them to finish the tower. He confused their language; they began speaking different languages. They could not understand one another any more. They could not work together any more. So they went away and did not finish building the tower. The place was called „Babel" which means „confusion".

1. What are these people doing?
2. How high is the tower going to be?
3. Why did they stop building?

Co tu widzisz?

Czy widzisz cegły na tym obrazku? Cegły te zrobione są z ziemi i wypalone. Są bardzo twarde, ponieważ wypalano je na gorącym słońcu. Skąd ci ludzie biorą tak dużo cegieł?

What can you see?

Can you see any bricks in the picture? Bricks are made of mud and then dried. They are very hard because they are dried in the hot sun. Where are these people getting so many bricks from?

Wyprawa Abrahama
Księga Rodzaju 12: 1-9

Czy widzisz mężczyznę, który szykuje się do drogi? To Abraham. Bóg polecił mu udać się do innego kraju. Wyprawa taka nie była prostą sprawą. Abraham był bardzo bogatym człowiekiem. Miał mnóstwo wielbłądów, osłów i owiec, które chciał zabrać ze sobą. Towarzyszyło mu dużo służących. Abraham był posłuszny Bogu. Wyruszył w daleką drogę. Razem z nim jechała jego żona Sara, a także Lot, jego bratanek ze swoją żoną. Posuwali się bardzo powoli, gdyż szli daleko, a podróż była męcząca. Szli przez wysokie góry, ciemne lasy i gorące pustynie. A Bóg spoglądał z nieba i czuwał nad nimi.

1. Co Bóg polecił Abrahamowi?
2. Dlaczego Abraham to zrobił?
3. Czy ty chętnie wypełniasz Boże polecenia?

Abraham's Journey
Genesis 12:1-9

Can you see this man getting ready to set out on a journey? This is Abraham. God told him to go to another land. Such a trip was not an easy one. Abraham was a very rich man. He had plenty of camels, donkeys and sheep and he wanted to take them all. Many servants went with him. Abraham was obedient to God. He set out on the long journey. He took his wife Sara, his nephew Lot and Lot's wife. They traveled very slowly because they planned to go so far away and the journey was tiresome. They climbed high mountains, crossed dark woods and hot deserts. And God looked down from heaven and watched over them.

1. What did God tell Abraham to do?
2. Why did Abraham obey God?
3. Do you obey God?

Co tu widzisz?

Wymień kilka rzeczy, które Abraham musiał zabrać ze sobą. Które z nich możesz rozpoznać na tym obrazku? Abraham miał ludzi, którzy mu pomagali. Byli to jego słudzy.

What can you see?

Name several things which Abraham had to take. Can you see any of them in the picture? There were some people helping Abraham. They were his servants.

Pobyt w Egipcie
Księga Rodzaju 12: 10-20

inęło wiele dni odkąd Abraham wyruszył w podróż. Jednak przed nim była wciąż daleka droga do pokonania. W końcu nadszedł czas, gdy znaleźli się w kraju, który nawiedził głód. Nigdzie nie mogli znaleźć pożywienia. Wtedy postanowili udać się do Egiptu. Zobaczcie, jak Abraham i jego żona jadą na wielbłądach, a słudzy i służące pędzą przed sobą owce i bydło. Zbliżali się do Egiptu, a Abraham był coraz bardziej zmartwiony. Miał piękną żonę i obawiał się, że Egipcjanie zechcą ją porwać, a jego zabić. Dlatego poprosił Sarę, aby udawała jego siostrę. Jednak prawda szybko się wydała, a rozgniewany faraon wypędził Abrahama i jego żonę z Egiptu.

1. Dokąd udają się ci ludzie?
2. Dlaczego opuszczają swoje domostwa?
3. Co spotkało ich w Egipcie?

The Stay in Egypt
Genesis 12:10-20

Many, many days had passed since Abraham set out on his journey. But still he had a long way to go. One day the travelers came to a land where there was a famine. They could not find anything to eat. So they decided to go to Egypt. Look at Abraham and his wife riding camels and their servants driving sheep and cattle. When they were getting close to Egypt Abraham was becoming more and more worried. His wife was so beautiful! He was afraid that the Egyptians would kidnap her and kill him. So he told Sara to pretend she was his sister. But soon the truth was found out and angry Pharaoh drove Abraham and his wife out of the country.

1. Where are these people going?
2. Why are they leaving their homes?
3. What happened to them in Egypt?

Co tu widzisz?

Kto z tych ludzi jest Abrahamem? A gdzie jest Sara? Kogo jeszcze widzisz? Co byś zrobił, gdybyś miał wyruszyć na wyprawę? Czy zauważyłeś na obrazku coś, czego dziś nie używa się ruszając w drogę?

What can you see?

Which one of these people is Abraham? And where is Sarah? Who else can you see? What would you do if you were to set out on a journey? Do you see anything which is not used while traveling?

Rozstanie Abrahama z Lotem

Księga Rodzaju 13

Jak myślisz, o czym tak poważnie rozmawia Abraham ze swoim bratankiem Lotem? Zarówno Abraham, jak i Lot mieli liczne stada. Ich pasterze codziennie sprzeczali się o pastwiska. Co roku wzrastała liczba owiec, bydła, osłów i wielbłądów. Było ich tak dużo, że nie starczało dla nich trawy. Codziennie dochodziło do nowych kłótni. Abraham wiedział, że nie podobało się to Bogu. Dlatego mężczyźni postanowili się rozdzielić. Abraham zabrał Lota na wysoką górę, skąd widać było całą krainę i pozwolił bratankowi wybrać sobie ziemię. Wtedy Lot ujrzał piękną krainę pełną zielonej i soczystej trawy. Chociaż powinien zostawić wujowi lepsze pastwiska, nie uczynił tego. Abraham został na wzgórzach, gdzie nie było zbyt dużo wody, a trawa była rzadka i sucha.

1. Kim jest ten mężczyzna z siwą brodą?
2. Z kim on rozmawia?
3. Czy to, co najlepsze powinniśmy zatrzymać dla siebie, czy dać innym?

Abraham and Lot Separate

Genesis 13

What is Abraham discussing so seriously with his nephew, Lot? Both Abraham and Lot had a lot of animals. Their shepherds quarreled every day for the pastures. Every year there were more sheep, more cattle and more camels. Finally there were so many of them that there was not enough grass for all of them. Every day a new fight broke out. Abraham knew that God did not like it. So he decided to part with Lot. Abraham took Lot on a high mountain where he could see the whole land and he let his nephew choose his part. Lot saw a beautiful land full of lush green grass. Although he should have left the better pastures to his uncle he did not do it. Abraham stayed in the mountains where there was not enough water and the grass was thin and dry.

1. Who is the man with the white beard?
2. Who is he talking to?
3. Should we keep the best things for ourselves or give them to others?

Co tu widzisz?

Spójrz na tę zieloną trawę. Dlaczego pasterze sprzeczali się o pastwiska? Czy gdyby łąki były wyschnięte i brązowe, również kłóciliby się o nie? A dlaczego nie?

What can you see?

Look at the green grass. Why did the shepherds fight for the pastures? Would they fight if the pastures were brown and dry? Why not?

Wizyta nieznajomych

Księga Rodzaju 18: 1-15

Czy widzisz tych trzech mężczyzn, którzy siedzą przed namiotem Abrahama? Wyglądają jak zwykli ludzie. Jednak nie byli to ludzie, lecz wysłannicy Boga. Pewnego gorącego dnia Abraham zauważył trzech nieznajomych zbliżających się do jego namiotu. Wyszedł im naprzeciw i zaprosił do siebie na odpoczynek i poczęstunek. Usługiwał im najlepiej jak umiał, nie wiedząc jeszcze, kim są. Po skończonym posiłku jeden z gości oznajmił Abrahamowi dobrą nowinę, że za rok o tej samej porze Sara urodzi syna. Czy widzisz Sarę wyglądającą z namiotu? Śmieje się, gdyż wie, że ma już dziewięćdziesiąt lat, a kobiety w tym wieku nigdy nie rodzą dzieci. Jeszcze nie wie, że dla Boga nie ma rzeczy niemożliwych. Abrahamowi urodzi się syn, a nazwą go Izaakiem.

1. *Kim są ci wędrowcy?*
2. *Dlaczego Sara się śmieje?*
3. *Czy Bóg dotrzymuje swoich obietnic?*

The Strangers' Visit

Genesis 18:1-15

Can you see these three men sitting in front of Abraham's tent? They look like ordinary men. But they were not ordinary people. They were the messengers of God. One hot day Abraham noticed three strangers coming towards his tent. He went out to meet them and invited them for a meal and rest. He served them as well as he could not knowing who they were. After the meal one of the guests told Abraham the good news - in a year his wife, Sarah, would give birth to a son. Can you see Sarah taking a peek? She is laughing because she knows that she is ninety years old and women at her age do not give birth to children. She does not know yet that nothing is impossible for God. Abraham would have a son. His name would be Isaac.

1. *Who are these strangers?*
2. *Why is Sarah laughing?*
3. *Does God keep His promises?*

Co tu widzisz?

Dom Sary i Abrahama był zupełnie inny niż twój. Także ich codzienne zajęcia były inne. Czy jest na obrazku coś, czego nie ma u ciebie w domu?

What can you see?

Abraham and Sarah's house differed from yours. Their everyday chores were also different. Is there anything in the picture which isn't at your home?

Narzeczona dla Izaaka

Księga Rodzaju 24

C zy byłeś już kiedyś na weselu? Z pewnością na weselu, na którym byłeś panna młoda i pan młody wyglądali na szczęśliwych. Wcześniej poznali się i zakochali w sobie. Potem zdecydowali się pobrać i powiedzieli o tym swoim rodzicom. Ale w czasach Izaaka było inaczej. Ktoś musiał rozejrzeć się za narzeczoną dla niego. Ten mężczyzna na obrazku to sługa Abrahama. To właśnie on dostał zadanie wybrać przyszłą żonę dla Izaaka. Sługa najpierw rozmawiał z Bogiem. Prosił Go o pomoc, by pomógł mu wybrać odpowiednią osobę. W momencie, gdy skończył się modlić, zobaczył piękną dziewczynę z dzbanem na ramieniu. Na imię miała Rebeka. Sam Bóg pomógł słudze wykonać polecenie Abrahama i znaleźć dziewczynę, która zgodziła się poślubić Izaaka.

1. Kim jest ten mężczyzna?
2. Dlaczego przybył do tej miejscowości?
3. O co chce prosić tę dziewczynę?

A Bride for Isaac

Genesis 24

Have you ever been to a wedding? Surely the bride and bridegroom would look very happy. They would have met each other and fallen in love. Then they would have decided to get married and would have told their parents about it. But it was different in the days of Isaac. Someone else had to find him a bride. This elderly man in the picture is Abraham's servant. Abraham chose him to find Isaac's future wife. The servant talked to God first. He asked God to help him find the right person. When he finished his prayer he noticed a beautiful girl with a water jug on her arm. Her name was Rebekah. God helped the servant to find the girl who agreed to marry Isaac.

1. Who is this man?
2. Why did he come here?
3. What is he going to ask the girl?

Co tu widzisz?

Rebeka pracuje. Ale co ona robi? Sługa Abrahama prosił Boga, aby wskazał mu dziewczynę odpowiednią dla Izaaka. Dziewczyna ta miała naczerpać wody i napoić jego wielbłądy. Jak myślisz, co sługa powie teraz Rebece?

What can you see?

Rebekah is working. But what is she doing? Abraham's servant asked God to show him the right girl for Isaac. This girl would draw water from the well and give it to his camels. What do you think the servant is going to tell Rebekah?

Poszukiwanie wody

Księga Rodzaju 26: 12-22

Czy widzisz jak ciężko pracują ci mężczyźni? Układają kamienie wokół głębokiego dołu wypełnionego wodą. Do tego źródła dokopali się łopatami. Na obrazku są także inni ludzie. Czy widzisz ich tam w głębi? Podejdą prosto do źródła i zabiorą studnię tym, którzy ją wykopali. Izaak i jego słudzy, mimo tego, że tak ciężko pracowali, nie walczyli o zatrzymanie studni. Gdy wykopali następną studnię, znowu ją utracili. Źli ludzie, którzy mieszkali w pobliżu Izaaka zazdrościli mu ogromnego majątku. Bóg błogosławił Izaakowi i stawał się on coraz zamożniejszy.

1. Czym mężczyźni zabezpieczają studnię?
2. Co zrobi Izaak, gdy straci studnię?
3. Co byś zrobił w takim przypadku? Walczyłbyś, czy raczej zawarłbyś pokój?

In Search for Water

Genesis 26:12-22

Can you see how hard these men are working? They are putting stones around this deep well full of water. They dug this hole in the ground. There are some other people in the picture. Can you see them standing at the back? Soon they would come and take the well from the people who had dug it. Isaac and his servants who had worked so hard did not fight to keep the well. Then they dug another well, but lost that one too. Bad people who lived near Isaac were jealous of him. God blessed Isaac and he was getting richer and richer.

1. How are these men protecting the well?
2. What will Isaac do when he loses the well?
3. What would you do in such a case? Would you rather fight or make peace?

Co tu widzisz?

Czym różni się ta studnia od tych, które widziałeś do tej pory? Którzy mężczyźni na tym obrazku kopią studnię? A którzy będą chcieli im ją zabrać?

What can you see?

How is this well different from other wells that you might have seen before? Which men in the picture are digging the well? Which men are going to take it from them?

Oszustwo Jakuba

Księga Rodzaju 27

Izaak jest już starym mężczyzną. Widzisz, jak białe są jego włosy? Jest też niewidomy. Izaak kładzie rękę na głowie swego syna Jakuba. Obiecuje mu coś szczególnego. Jest to prawo pierworodztwa. Kiedy Izaak umrze, Jakub stanie się głową rodziny. Izaak nie wie, że klęczy przed nim Jakub. Myśli, że to Ezaw, jego starszy syn. To jemu należało się błogosławieństwo ojca. Jakub z pomocą matki, która bardziej kochała młodszego syna, oszukał starego Izaaka. Przebrał się w szaty Ezawa, ugotował smaczną potrawę i zaniósł jedzenie swemu ojcu. Jakub wiedział, że oszukuje, ale bardzo pragnął otrzymać błogosławieństwo, które należało się starszemu bratu. Wyobraź sobie, jak rozgniewa się Ezaw, gdy się o tym dowie!

1. *Kogo widzisz na obrazku?*
2. *W jaki sposób Jakub oszukał swego ojca?*
3. *Dlaczego nie powinniśmy kłamać?*

Jacob Cheats

Genesis 27

Isaac is an old man now. Can you see his white hair? He is also blind. Isaac put his hand on his son, Jacob's head. He promises him something special - the rights of the first-born son. When Isaac dies Jacob will become the head of the family. But Isaac does not know that it is Jacob who is kneeling in front of him. He thinks it is Esau, his older son. Esau should get the blessing of his father. With the help of his mother, who loved the younger son the best, Jacob cheated old Isaac. He put on Esau's clothes, cooked a tasty dish and took it to his father. Jacob knew he was cheating, but he wanted to get the blessing so much. Imagine how angry Esau was when he learned about it!

1. *Who is there in the picture?*
2. *How did Jacob cheat his father?*
3. *Why shouldn't we tell lies?*

Co tu widzisz?

Czy widzisz futerko na szyi Jakuba i na jego rękach? Jego matka okryła skórami koźlęcymi gładkie ręce i szyję Jakuba. Ezaw miał owłosione ciało, a Jakub chciał być podobny w dotyku do brata. Wtedy ojciec jego uwierzy, że ma przed sobą Ezawa.

What can you see?

Can you see the goatskins around Jacob's neck and on his arms? His mother covered Jacob's smooth arms and neck with goatskins. Esau was hairy and Jacob wanted to feel like his brother if his father touched him. Then his father would believe that it was Esau who was kneeling in front of him.

Sen Jakuba
Księga Rodzaju 28: 10-22

Jakub okłamał swego ojca i skrzywdził brata. Ezaw rozgniewał się na Jakuba i chciał go zabić. Dlatego Jakub musiał uciekać. Wędrował samotny i przerażony. Wiedział, że źle uczynił. Podczas podróży zaskoczyła go noc. Był zmęczony, więc ułożył się do snu, a pod głowę podłożył sobie kamień. Szybko zasnął, a w nocy przyśnił mu się piękny sen. Ujrzał wysoką drabinę, która sięgała do samego nieba. Po niej wstępowali i zstępowali aniołowie, a na szczycie stał sam Bóg. Było to wspaniałe przeżycie. Bóg przemówił do Jakuba, przebaczył mu jego zły uczynek i obiecał swoje błogosławieństwo na całe życie. Jakub obudził się szczęśliwy i nazwał to miejsce „Betel", co znaczy „Dom Boga".

1. Kim jest ten człowiek?
2. Dlaczego uciekł z domu?
3. Co mu się śni?

Jacob's Dream
Genesis 28:10-22

Jacob lied to his father and harmed his brother. Esau got angry and wanted to kill Jacob. So Jacob had to run for his life. Lonely and frightened, he wandered about. He knew he had done wrong. The night took him by surprise. He was tired, so he lay down to sleep. He put a stone under his head. Soon he was fast asleep and had an extraordinary dream. In the dream he saw a ladder reaching to heaven. Angels were going up and down the ladder and God was standing at the top. It was a wonderful experience. God spoke to Jacob. He forgave him his bad deed and promised to bless him all his life. Jacob woke up joyful and called this place „Bethel", which means „House of God."

1. Who is this man?
2. Why did he run away from his home?
3. What is he dreaming about?

Co tu widzisz?

Zwróć uwagę na rzeczy, które ma przy sobie Jakub. Czego możesz się domyślić dzięki tym rzeczom? Jeśli spotkasz kogoś, kto niesie takie rzeczy, to czy pomyślisz, że człowiek ten wybiera się w drogę? A dlaczego?

What can you see?

Notice the things Jacob is carrying. Why do you think he is carrying them? If you met someone carrying such things would you think he was setting out on a journey? Why?

Piękny płaszcz Józefa

Księga Rodzaju 37: 1-11

Czy widzisz tego mężczyznę w pięknym, kolorowym płaszczu? To Józef, syn Jakuba. Nie był on jedynym synem, miał jeszcze wielu braci. Jednak to właśnie jego ojciec kochał najbardziej. Rozpieszczał go i zwalniał ze wszystkich obowiązków. Nie przyniosło to szczęścia tej licznej rodzinie. Bracia nienawidzili go, a on obserwował swoich braci i donosił ojcu, gdy tylko zdarzyło im się uczynić coś złego. Spójrz, jak Józef cieszy się ze swojego płaszcza. W tamtych czasach taki płaszcz nosili tylko bardzo ważni ludzie. Wkrótce stało się coś, co sprawiło, że bracia jeszcze bardziej znienawidzili Józefa. Zaczęły mu się śnić sny, w których jego bracia kłaniali mu się. Wtedy mężczyźni postanowili zrobić Józefowi coś złego, bo nie mogli już tego dłużej wytrzymać.

1. Od kogo Józef dostał ten piękny płaszcz?
2. Dlaczego Jakub mu go podarował?
3. Dlaczego sprowadziło to na jego rodzinę nieszczęście?

Joseph's Beautiful Coat

Genesis 37:1-11

Can you see this man in a nice colorful coat? It is Joseph, Jacob's son. He was not the only son. Joseph had many brothers. But his father loved him best. He pampered him and did not make him work like his brothers. This did not bring happiness to the family. The brothers hated Joseph and he watched his brothers and reported to his father whenever his brothers did anything bad. Look how glad Joseph is because he has just gotten a new coat. In those days only very important people wore such coats. Soon something else happened and the brothers hated him even more. He had a dream in which his brothers bowed down before him. Then his brothers decided to do something to Joseph because they could not stand it any more.

1. Who gave Joseph this beautiful coat?
2. Why did Jacob give it to him?
3. Why did it bring disaster to his family?

Co tu widzisz?

Dwaj mężczyźni są zadowoleni, a dwaj nie. Kto jest naj-szczęśliwszy? Dlaczego ci dwaj bracia są nieszczęśliwi?

What can you see?

Two men are happy and the other two aren't. Who is the happiest person? Why are the two brothers so sad?

Józef jako niewolnik

Księga Rodzaju 37: 12-36

Spójrz na Józefa! Nie ma już swojego pięknego płaszcza. Został zabrany przez braci. A oni podrą go i wysmarują krwią. Potem oddadzą go ojcu, żeby pomyślał, że Józef nie żyje. Bracia zrobili coś bardzo złego. Gdy byli daleko od domu, Józef przyszedł ich odwiedzić. Wtedy bracia postanowili wrzucić go do głębokiej studni, aby ukarać Józefa za jego sny i za to, że ojciec kochał go najbardziej. Jak zaplanowali, tak uczynili. Gdy Józef siedział na dnie studni, nadjechała karawana kupców. Wtedy bracia postanowili sprzedać Józefa, jako niewolnika do Egiptu. Potem wrócili do domu i pokazali ojcu zakrwawioną szatę Józefa. Jakże gorzko płakał Jakub z rozpaczy po ukochanym synu. Widzisz, jaką smutną minę ma Józef? Jeszcze nie wie, że Bóg jest z nim i będzie go ochraniał.

1. Dlaczego bracia trzymają płaszcz Józefa?
2. Dokąd idzie Józef?
3. Czy Bóg jest z nami dokądkolwiek idziemy?

Joseph as a Slave

Genesis 37:12-36

Look at Joseph! He does not have his beautiful coat any more. His brothers had taken it from him. They had torn it and dipped it in blood. Then they had shown it to their father to make him think that Joseph was dead. His brothers did something wicked. When they were far away from home, Joseph came to visit them. Then his brothers threw him into a deep empty well to punish Joseph for his dreams and for the fact that their father loved him best. They did exactly as they had planned. When Joseph was in the well, a caravan of merchants passed by. So the brothers decided to sell Joseph as a slave to Egypt. Then they returned home and showed Joseph's blood-stained coat to their father. How bitterly Jacob mourned the loss of his beloved son! Can you see how sad Joseph is? He does not know yet that God is with him and He will take care of him.

1. Why are the brothers holding Joseph's coat?
2. Where is Joseph going?
3. Is God with us wherever we go?

Co tu widzisz?

Józef opuszcza swoich braci. Dokąd się udaje? Dlaczego tam idzie? Gdybyś ty wybierał się do Egiptu, czy podróżowałbyś tak jak Józef?

What can you see?

Jospeh is leaving his brothers. Where is he going? Why is he going there? If you were to go to Egypt, would you travel like Joseph?

Józef przed obliczem króla

Księga Rodzaju 41: 1-36

Czy miałeś kiedyś jakiś dziwny sen? Czy zastanawiałeś się nad tym, jakie on mógł mieć znaczenie? Królowie także miewają dziwne sny. Król Egiptu, czyli faraon, miał dwa sny. Ale nie wiedział, co one mogą znaczyć. Przywołał do siebie swoich najmądrzejszych ludzi. Ale oni także nie wiedzieli. Faraon był coraz bardziej zdenerwowany, bo przeczuwał, że przyśniło mu się coś bardzo ważnego. Wtedy ktoś przypomniał sobie o niewolniku Józefie, bo wiedział, że właśnie on potrafi objaśniać sny. Widzisz, jak Józef stoi przed faraonem? Przekazuje mu to, co powiedział Bóg. Nastanie w Egipcie siedem lat urodzaju, a po nich siedem lat głodu. Józef doradził królowi Egiptu gromadzić zapasy żywności, a potem korzystać z nich, gdy nadejdą ciężkie czasy.

1. *Który z tych mężczyzn jest Józefem?*
2. *Co powiedział Józef faraonowi?*
3. *Skąd Józef wiedział, co znaczą te sny?*

Joseph before the King

Genesis 41:1-36

Have you ever had a strange dream? Have you wondered what it might mean? Kings have strange dreams too. Pharaoh, the king of Egypt, had two dreams. But he did not know what they meant. So he called to himself the wisest people in his country. But they did not know the meaning either. Pharaoh was getting more and more upset. And then someone remembered a slave, Joseph, who could explain dreams. Can you see Joseph standing before Pharaoh? He is explaining what God said in the dreams. First there would be seven years of good crops in Egypt and then there would be seven years of famine. Joseph told Pharaoh to store up food in the good years and then use it when the bad times came.

1. *Where is Joseph?*
2. *What did he tell Pharaoh?*
3. *How did Joseph know the meaning of the dreams?*

Co tu widzisz?

Po czym można poznać, że ten człowiek jest królem? Wskazują na to różne szczegóły na obrazku. Czy możesz je znaleźć?

What can you see?

How can you recognize that one of the men is the king? Some details in the picture prove it. Can you point them out?

Przybycie braci Józefa do Egiptu

Księga Rodzaju 45 :1-15

racia Józefa byli dla niego niedobrzy. Sprzedali go. Chcieli, aby żył i umarł jako niewolnik. Ale to było bardzo dawno temu. Józef stał się niezwykle ważną osobą. Sam faraon uczynił go swoim następcą. Józef przygotował kraj na nadejście głodu. Chociaż w całym Egipcie była susza, ludzie mieli co jeść. Przychodzili do Józefa i kupowali zboże. W kraju Jakuba i jego synów też nastał głód. Gdy bracia Józefa dowiedzieli się, że w Egipcie jest zboża pod dostatkiem wyruszyli w daleką podróż. Musieli przyjść do Józefa i pokłonić mu się. Wcale nie poznali swojego brata, którego kiedyś sprzedali w niewolę. Jednak Józef poznał ich od razu. Wyjawił im, kim jest i przebaczył wszystkie krzywdy, które mu wyrządzili. Jakże bracia byli zawstydzeni.

1. Dokąd przybyli bracia Józefa?
2. Czy poznali swojego brata?
3. Czy Józef wybaczył braciom?

Joseph's Brothers Go to Egypt

Genesis 45:1-15

Joseph's brothers were not good to him. They sold him. They wanted him to live and die as a slave. But this had happened a long time ago. In the meantime Joseph became a very important person. Pharaoh himself made Joseph the second most important person in the country. Joseph prepared the country for the years of famine. Even though there was a drought in all of Egypt, people had food to eat. They were coming to Joseph to buy grain. There was a famine in Jacob's land as well. When Joseph's brothers learned that there was enough food in Egypt they set out on a long journey. When they arrived they had to stand before Joseph and bow down. They did not recognize their brother, whom they had sold into slavery a long time ago. But Joseph recognized them immediately. He told them who he was and forgave them all the wrongs they had done to him. How ashamed his brothers were!

1. Where did Joseph's brothers go?
2. Did they recognize their brother?
3. Did Joseph forgive his brothers?

Co tu widzisz?

Obrazek przedstawia dwunastu mężczyzn. Który z nich jest Józefem? Józef jest u siebie w domu. Jak myślisz, jest bogaty czy biedny? Po czym to poznajesz?

What can you see?

There are twelve men in the picture. Which one of them is Joseph? Joseph is at his house. Do you think he is rich or poor? How can you tell?

Mały Mojżesz
Księga Wyjścia 2: 1-10

Spójrz na tego małego chłopczyka! Ma na imię Mojżesz. Te szczęśliwe kobiety znalazły dziecko w koszyku. Koszyk kołysał się na wodzie. A wiesz dlaczego tam się znalazł? Król Egiptu chciał zabić Mojżesza. Dlatego matka dziecka włożyła je do koszyka i schowała w sitowiu. Cały czas modliła się do Boga, aby strzegł jej synka. I Bóg to uczynił! Kobieta, która trzyma dziecko w ramionach to księżniczka. Mały Mojżesz bardzo jej się spodobał. Zajęła się nim i nie pozwoliła, aby faraon wyrządził mu krzywdę. Czy to nie cudowne, jak Bóg uratował małego Mojżesza? Chłopiec wychowywał się we wspaniałym królewskim pałacu. Jednak nigdy nie zapomniał, że nie jest Egipcjaninem. Gdy dorósł nie chciał już dłużej być księciem, uciekł z pałacu i schronił się na pustyni.

1. Kto trzyma małego Mojżesza na rękach?
2. Gdzie księżniczka go znalazła?
3. Co chce z nim uczynić?

Little Moses
Exodus 2:1-10

Look at this little boy! His name is Moses. These happy women found the child in a basket. The basket was floating on the water. And do you know why it was there? The king of Egypt wanted to kill Moses. So Moses' mother put him in the basket and hid it in the reeds. She prayed to God to preserve her little son. And God did! The woman who is holding the baby in her arms is the princess. She liked little Moses very much. She took care of him and did not let Pharaoh hurt him. Isn't it wonderful how God saved little Moses? The boy grew up in a magnificent royal palace. But he never forgot that he was not an Egyptian. When he grew up he did not want to be a prince any more. He ran away from the palace and hid in the desert.

1. Who is holding little Moses in her arms?
2. Where did the princess find him?
3. What does she want to do with him?

Co tu widzisz?

Ile kobiet widzisz na obrazku? Czy wyglądają na szczę-śliwe, czy na smutne? Skąd wiesz, że król nie wyrządzi już Mojżeszowi żadnej krzywdy?

What can you see?

How many women are there in the picture? Are they glad or sad? Will Pharaoh hurt Moses? Why not?

Płonący krzew

Księga Wyjścia 3: 1-17

ojżesz stał się dorosłym mężczyzną. Przez wiele lat pracował jako pasterz. Nie wiedział o tym, że Bóg wybrał go na swojego pomocnika. Pewnego dnia Mojżesz pasł swoje owce i kozy na zboczach góry. Wtedy Bóg postanowił przemówić do niego. Nagle Mojżesz ujrzał dziwny znak. Przed nim rósł krzak, który płonął jasnym ogniem. Chociaż stał w płomieniach wcale się nie spalał. Gdy zdziwiony Mojżesz podszedł bliżej, usłyszał głos samego Boga dobiegający z krzaka. Padł na kolana i nie śmiał podnieść wzroku. Wtedy Bóg powiedział mu, że wybrał go wśród wielu ludzi, aby wyrwał swój naród z niewoli egipskiej, a potem zaprowadził do dalekiego, pięknego kraju. Mojżesz był przerażony tym, co usłyszał.

1. Kim jest ten człowiek na obrazku?
2. Dlaczego klęczy?
3. Jakie polecenie wydał Bóg Mojżeszowi?

The Burning Bush

Exodus 3:1-17

Moses became a mature man. For many years he worked as a shepherd. He did not know that God had chosen him to be His helper. One day Moses was out taking care of the sheep and goats on a hillside. Then God decided to speak to him. Suddenly Moses saw a strange sign. He saw a bush burning with a bright flame. But although it was on fire it did not burn up. Surprised, Moses came closer and he heard God calling him from the burning bush. He fell on his knees and did not dare to look up. Then God told him that he had chosen him to lead his people out of Egypt and lead them into a beautiful land. Moses was terrified by what he heard.

1. Who is the man in the picture?
2. Why is he kneeling?
3. What did God tell Moses to do?

Co tu widzisz?

Spójrz na ziemię przed Mojżeszem. Widzisz co tam leży? Taki kij nazywa się też laską. Do czego Mojżesz jej potrzebował?

What can you see?

Look at the ground in front of Moses. Can you see what is there? Such a stick is also called a staff. What did Moses need it for?

Mojżesz u faraona

Księga Wyjścia 5-7

Czy miałbyś ochotę powiedzieć jakiemuś królowi jak powinien postąpić? Mojżesz właśnie to robi. Sam Bóg powiedział mu, co ma czynić. Mojżesz prosi faraona o wypuszczenie jego narodu z egipskiej niewoli. Zły król rozgniewał się. Wypędził Mojżesza i jeszcze bardziej męczył swoich niewolników. Jednak Bóg jeszcze raz wysłał Mojżesza do faraona, aby ostrzec go przed straszliwymi plagami, które spadną na Egipt, gdy ludzie nie zostaną uwolnieni. Jednak król nie bał się niczego. Wtedy przyszły na Egipt wielkie plagi. Najpierw woda zamieniła się w krew i ludzie nie mieli, co pić. Potem z tej okropnej, brudnej wody wyskoczyły miliony żab. Król wystraszył się i pozwolił na wyjście niewolników. Jednak, gdy plagi skończyły się, zmienił zdanie.

1. Kto rozmawia z faraonem?
2. Co mówi Mojżesz?
3. Jaką decyzję podjął faraon?

Moses Goes to Pharaoh

Exodus 5-7

Would you like to tell a king what he should do? This is what Moses is doing. God told him what to do. Moses is asking Pharaoh to let his people leave Egypt. The wicked king got angry. He threw Moses out and made the slaves work even harder. But God sent Moses to Pharaoh again to warn him of terrible plagues which would fall on Egypt if the people were not freed. But the king was not afraid. So the terrible plagues fell on Egypt. First the water turned into blood and the people had nothing to drink. Then millions of frogs jumped out of that horrible dirty water. The king got scared and let the slaves go. But when the plagues stopped he changed his mind.

1. Who is talking to Pharaoh?
2. What is Moses saying?
3. What decision did Pharaoh make?

Co tu widzisz?

Po czym poznajesz, że jeden z tych mężczyzn jest królem? Pokaż kilka rzeczy, które zawsze należą do króla. Czym Mojżesz różni się od faraona?

What can you see?

How can you recognize that one of the men is the king? Point out several things which belong to the king. How is Moses different from Pharaoh?

Wyjście z Egiptu
Księga Wyjścia 8-12

Faraon nie chciał wypuścić swoich niewolników. Nie wystraszył się ani plagi much, ani komarów, ani gradu, ani szarańczy, czy też strasznych ciemności. Jego serce nie zmiękło nawet wtedy, gdy ludzie i zwierzęta ciężko zachorowali. Król jeszcze bardziej męczył niewolników. Bardzo rozgniewał tym Boga, który sprawił, że na Egipt spadła jeszcze jedna, okrutna plaga. W każdym domu zmarł najstarszy syn. Bóg nie oszczędził nawet faraona. Król pogrążony w rozpaczy uwolnił wreszcie niewolników. Spójrz na tych wszystkich ludzi! Opuszczają Egipt. Nie widać tu wyrazu ich twarzy, ale z pewnością są szczęśliwi. Bardzo długo byli niewolnikami i pracowali za darmo. Byli bici i męczeni. Teraz czeka ich daleka droga. Mojżesz zaprowadzi ich do kraju, który obiecał im Bóg.

1. W jakim kraju żyli ci ludzie?
2. Dlaczego opuszczają ten kraj?
3. Kto ich prowadzi?

Going out of Egypt
Exodus 8-12

Pharaoh did not want his slaves to leave. He was not afraid of the plague of flies, or gnats, or hail, or locust, or terrible darkness. His heart did not soften even when his people and livestock got sick. He oppressed the people even more. Then God got angry and sent one more dreadful plague. The oldest son in each home had to die. God did not spare even the house of Pharaoh. In despair, Pharaoh finally let the slaves go. Look at all these people! They are leaving Egypt. You cannot see their faces, but they must be very happy. They used to be slaves and work without payment for a long time. They were beaten and they suffered. And now there is a long way before them. Moses will lead them to the land God promised them.

1. Where have these people been living?
2. Why are they leaving now?
3. Who is leading them?

Stary Testament

Co tu widzisz?

Czy możesz policzyć tych ludzi? Jak myślisz, ilu ich jest? Zobacz co zabierają ze sobą. Czy rozpoznajesz jakieś przedmioty?

What can you see?

Can you count all these people? How many do you think there are? Look at what they are carrying. Can you recognize some of the objects?

Słup obłoku i słup ognia

Księga Wyjścia 13:21-22

Czy widzisz tę jasność na niebie? To sam Bóg towarzyszy swojemu ludowi. Cały czas nad nimi czuwa. W ciągu dnia szedł przed nimi jako biały obłok, który wskazywał im drogę, a w czasie upału zasłaniał palące słońce. W nocy, gdy ciemności otaczały ziemię rozjaśniał im drogę, płonąc ogniem. Bóg opiekował się wszystkimi. Gdy dzieci i zwierzęta były zmęczone, obłok zatrzymywał się i ludzie mogli odpocząć. Gdy obłok ruszał dalej oznaczało to, że należy wyruszyć w dalszą drogę. Wszyscy czuli się bezpieczni i byli bardzo szczęśliwi. Nie bali się już niczego. Po kilku dniach wędrówki stanęli nad brzegiem wielkiego morza. Za nimi była nieprzyjazna pustynia, a przed nimi tylko woda.

1. W jaki sposób Bóg opiekował się ludźmi?
2. Czy ludzie czuli się bezpiecznie?
3. Czy codziennie prosisz Boga o pomoc?

The Pillar of Cloud and the Pillar of Fire

Exodus 13:21-22

Can you see this light in the sky? God is going with His people. He is taking care of them all the time. During the daytime He went ahead of them as a white cloud. He showed them the way and shaded them from the blazing sun and the heat. At night, when darkness covered the earth, He lighted their way by a pillar of fire. God took care of them. When the children and animals were tired, the cloud would stop and the people could rest. When the cloud started moving, it meant they had to set out. Everybody was safe and happy. They were not afraid of anything. After several days of traveling, they reached the shore of a big sea. There was the hostile desert behind them and the sea in front of them.

1. How was God taking care of His people?
2. Were they safe?
3. Do you ask God to care for you everyday?

Co tu widzisz?
Ile osób idzie tą samą drogą? Za kim oni idą?

What can you see?
How many people are going in the same direction?
Who are they following?

Przejście przez morze
Księga Wyjścia 14:1-31

G dy faraon otrząsnął się z rozpaczy po śmierci syna, zaczął żałować, że wypuścił niewolników. Brakowało mu ludzi, którzy ciężko pracowali, nie otrzymując za to ani grosza. Szybko zgromadził wielkie wojsko i ruszył w pościg. Gdy ludzie Mojżesza ujrzeli zbliżających się żołnierzy, wpadli w panikę. Nie mieli dokąd uciekać. Przed nimi było tylko morze. Byli przerażeni, bo zapomnieli, że Bóg nad nimi czuwa. Ale Bóg o nich pamiętał. Polecił Mojżeszowi unieść laskę i wyciągnąć ją nad morze. Gdy Mojżesz to uczynił, zerwał się potężny wiatr, który rozdzielił wody głębokiego morza na dwie części. Powstało zupełnie suche przejście pomiędzy spiętrzoną wodą. Ludzie jeszcze nigdy nie widzieli takiego cudu. Mogli bezpiecznie przejść na drugą stronę i uciec przed Egipcjanami.

1. Gdzie jest Mojżesz?
2. Co on czyni?
3. Czyja moc rozdzieliła wody morza?

Crossing the Sea
Exodus 14:1-31

When Pharaoh finished mourning his son's death, he was sorry that he had let the slaves go. He needed people who would work hard for nothing. Quickly he gathered a big army and chased them. When the people saw the soldiers coming they panicked. They could not escape because there was only the sea ahead of them. They were scared because they forgot that God was watching over them. But God did not forget about them. He told Moses to stretch his rod over the sea. When he did this a mighty wind came and parted the waters. A dry path was made between the walls of water. People had never seen such a miracle before. They could safely cross the sea and escape from the Egyptians.

1. Where is Moses?
2. What is he doing?
3. Whose power has parted the sea?

Co tu widzisz?

Czy widziałeś już kiedyś, jak wysoko mogą się spiętrzyć fale morskie? Na pewno nie widziałeś jeszcze, aby ludzie przechodzili przez morze suchą stopą. Co byś pomyślał, gdybyś był tam razem z nimi?

What can you see?

Have you ever seen how tall the sea waves can be? But surely you have never seen people crossing the sea. What would you say if you were with them?

Pokarm z nieba
Księga Wyjścia 16

Lud Boży wyruszył w dalszą podróż. Udało mu się uciec od Egipcjan. Ludzie przybyli na pustynię, gdzie nie ma nic do jedzenia. Nie ma pól, ogrodów, ani żadnych sklepów. Gdy głód zaczął coraz bardziej im dokuczać, zaczęli narzekać. Żałowali, że wyszli z Egiptu. Tam ciężko pracowali, ale jedzenia im nie brakowało. Wtedy Mojżesz zwrócił się do Boga o pomoc. Czy wierzysz w to, że Bóg zawsze słucha, gdy do Niego mówimy? Wysłuchał także Mojżesza. Jeszcze tego samego dnia przyleciało mnóstwo przepiórek, które zostały złapane i zjedzone na kolację. Następnego dnia, gdy ludzie wyszli z namiotów na ziemi leżały białe płatki. Były smaczne jak ciasteczka z miodem. Każdego dnia Bóg zsyłał ludziom pożywienie. Zobacz, wszyscy wyglądają teraz na zadowolonych.

1. *Dlaczego ludzie zaczęli narzekać?*
2. *Jakie pożywienie zesłał im Bóg*
3. *Czy codziennie dziękujesz Bogu za jedzenie?*

Food from Heaven
Exodus 16

The people of God began their travel. They managed to escape from the Egyptians. Soon they came to a desert where there was nothing to eat. There are no fields, no gardens, no stores in a desert. And they were getting more and more hungry. They started to complain. They wished they had not left Egypt. They had worked very hard there but they did not lack food. So Moses asked God for help. Do you believe that God always hears what we say to Him? He heard Moses. That evening flocks of quail flew to the camp. The people were able to catch them and eat them for supper. The next day when people went out of their tents the ground was covered with white flakes. They tasted like cakes with honey. Every day God sent food for His people. Look how happy they are now.

1. *Why did the people begin to complain?*
2. *What kind of food did God send them?*
3. *Do you thank God for your food every day?*

Co tu widzisz?

Czy widzisz te małe, białe placki na ziemi? Co to jest? Co ludzie z tym robią? Przyjrzyj się dokładnie. Dlaczego nie rosną tu żadne jadalne rośliny?

What can you see?

Can you these little white flakes on the ground? What is it? What are the people doing with it? Look at the picture carefully. Why are there no edible plants growing here?

Woda ze skały

Księga Wyjścia 17:1-7

Ludzie mieli już co jeść i nie cierpieli głodu. Przez pewien czas byli zadowoleni. Lecz nadeszły dni, gdy nie mogli nigdzie znaleźć wody. Znowu zaczęli narzekać i wspominać Egipt, gdzie nie męczyło ich pragnienie. Wędrowali przez pustynię i byli coraz bardziej źli na Mojżesza. Biedny Mojżesz! Nie mógł sam nic poradzić. Wody nigdzie nie było, a ludzie cierpieli takie pragnienie, jakiego Ty nigdy nie zaznałeś. Mojżesz znowu poprosił Boga o pomoc. Bóg polecił Mojżeszowi uderzyć laską w skałę. I oto spójrz, co się stało! Mojżesz uderzył w skałę i trysnęła z niej woda! Każdy mógł się napić i ugasić pragnienie. Ludzie nie musieli już cierpieć. Znowu poczuli, że Bóg jest z nimi i stale czuwa nad swoim ludem.

1. Kogo poprosił Mojżesz o pomoc?
2. Czy Bóg wysłuchał prośby Mojżesza?
3. Czy pamiętasz o Bogu, gdy masz problemy?

Water from the Rock

Exodus 17:1-7

The people had something to eat and they were no longer hungry. For some time they were satisfied. But then they could not find water anywhere. They started to complain again. They remembered Egypt where they had not been thirsty. Now they were walking across the desert and they were getting more and more angry at Moses. Poor Moses! He could not do anything. There was no water and the people were thirsty like you never were. So once again Moses asked God for help. God told Moses to strike the rock with his rod. And look what happened! Moses hit the rock and water came out of it! Everybody drank and quenched their thirst. The people did not have to suffer any more. Again they felt that God was with them, taking care of His people.

1. Whom did Moses ask for help?
2. Did God answer his prayer?
3. Do you think about God when you are in trouble?

Co tu widzisz?

Czy widzisz tu jakieś rośliny? Dlaczego tu nic nie rośnie?
Skąd wzięła się ta woda?

What can you see?

Can you see any plants here? Why is nothing growing
here? Where did this water come from?

Dziesięcioro Przykazań

Księga Wyjścia 20:1-17

idzisz tu Mojżesza stojącego u stóp góry. W rękach trzyma dwie kamienne tablice. Czy widzisz, co jest na nich zapisane? Zdania, które się na nich znajdują, nie zostały napisane ludzką ręką. Sam Bóg wyrył te słowa. Jest to Dziesięcioro Przykazań, które Bóg przekazał wszystkim ludziom żyjącym na ziemi. W ten sposób oznajmił, co jest dobre, a co złe. Powiedział jak ma wyglądać życie człowieka. Pragnął, aby ludzie kochali Go, a także siebie nawzajem i swoich rodziców. Aby nie czynili nic złego, modlili się do Boga, przestrzegali świąt, nie kradli, nie kłamali, ani nie zabijali. Dziesięcioro Przykazań znajdziesz w Biblii. Możesz je przeczytać i według nich postępować. Czy zgadzasz się je przestrzegać?

1. Co trzyma Mojżesz?
2. Ile przykazań jest wyrytych na tych tablicach?
3. O czym one mówią?

The Ten Commandments

Exodus 20:1-17

You can see Moses standing at the foot of the mountain. He is holding two stone tablets in his hands. Can you see what is written on them? These sentences have not been written by a human hand. God himself carved these words in stone. These are the Ten Commandments which God gave to all people around the earth. He declared what was right and what was wrong. He told people how they should live. He wanted them to love Him, to love one another, and to love their parents. He did not want them to do anything wrong, but to pray to God and to observe holidays. They were not to steal, nor lie, nor murder. You will find the Ten Commandments in the Bible. You can read them and obey them. Are you willing to obey them?

1. What is Moses holding?
2. How many commandments are there on the tablets?
3. What do they tell us about?

Co tu widzisz?
Przyjrzyj się dokładnie słowom wyrytym na tych tablicach. Nie możesz ich odczytać, bo napisane są w obcym języku. Jest to język hebrajski. Mojżesz i jego ludzie mówili w tym języku.

What can you see?
Look carefully at the words carved in the tablets. You cannot read them because they have been written in a foreign language. It is Hebrew. Moses and his people spoke that language.

Złoty cielec
Księga Wyjścia 32

rzyjrzyj się temu złotemu cielcowi! A co robi tu ten tłum ludzi? Jest to lud Boży, który powinien modlić się do swojego Boga, a oddaje cześć złotemu cielcowi. Mojżesz pozostawił ich na pewien czas, aby w samotności rozmawiać z Bogiem. W tym czasie ludzie odwrócili się od Boga. Ale już nadchodzi Mojżesz z Dziesięciorgiem Przykazań. Jedno z przykazań mówi, że człowiek ma się modlić tylko do Boga. Ludzie nie są posłuszni. Tego złotego cielca nazywają bóstwem i oddają mu cześć, jak gdyby był Bogiem. Gdy Mojżesz zobaczył, co się dzieje bardzo się rozgniewał. Rzucił kamienne tablice z przykazaniami, a one rozbiły się na kawałki. Potem rozwalił złotego cielca i starł go na pył. Jednak kochał swój lud i prosił Boga o przebaczenie.

1. Co złego robią ci ludzie na obrazku?
2. Komu powinni być posłuszni?
3. Komu ty powinieneś być posłuszny?

The Golden Calf
Exodus 32

Look at this golden calf! What is the crowd doing? These people are the children of God who should be worshipping their God, but they are worshipping the golden calf. Moses left them for some time and went to talk to God alone. When he was gone the people turned away from God. But Moses is coming back with the Ten Commandments. One of the commandments says that a man should pray only to God. The people are not obedient. They call this golden calf god and worship it as if it was a real God. When Moses saw that he got very angry. He threw the stone tablets with the commandments to the ground and they broke to pieces. Then he smashed the golden calf and ground it to powder. But he loved his people and asked God to forgive them.

1. What are the people in the picture doing?
2. Whom should they have obeyed?
3. Whom should you be obedient to?

Co tu widzisz?

Czy znalazłeś na obrazku złotego cielca? Spójrz na kamienne tablice, na których znajduje się Dziesięcioro Przykazań. Do kogo ludzie powinni się modlić, do Boga czy do cielca? A dlaczego?

What can you see?

Have you found the golden calf in the picture? Look at the stone tablets with the Ten Commandments. Whom should people pray to: God or the calf? Why?

Dary dla domu Bożego

Księga Wyjścia 35: 1-29

Czy ty chciałbyś coś podarować Bogu? Ci ludzie właśnie to robią. A spójrz, jacy są przy tym szczęśliwi. Niektórzy przynieśli złoto i srebro, inni drewno i drogie kamienie. Mojżesz i jego pomocnicy chcą zbudować Bogu piękny dom. Użyją do tego tych wszystkich darów. Ma to być duży namiot, który nazwą „Namiotem Zgromadzenia". Teraz już wiesz, dlaczego ci wszyscy ludzie są tak weseli. Czy ty też jesteś szczęśliwy, gdy możesz ofiarować coś Bogu?

1. Co przynoszą ci ludzie?
2. Co zrobi Mojżesz z tymi darami?
3. Dlaczego ludzie są tacy szczęśliwi?

Gifts for the House of God

Exodus 35:1-29

Would you like to give something to God? These people are doing it. Look how happy they are. Some of them have brought gold and silver, others wood and precious stones. Moses and his helpers want to build a beautiful house for God. They are going to use all these wonderful gifts. It is going to be a big tent. It will be called the „Tent of Meeting." Now you know why these people are so happy. Are you also happy when you can give something to God?

1. What are these people bringing?
2. What is Moses going to do with these gifts?
3. Why are the people so happy?

Co tu widzisz?

Jakie dary przynoszą ludzie? Ile dzieci widzisz na obrazku? Są wesołe czy smutne?

What can you see?

What gifts are the people carrying? How many children can you see in the picture? Are they glad or sad?

Ziemia obiecana
Księga Liczb 13

Bóg obiecał swoim ludziom wspaniałą ziemię. Nazwał ją „ziemią obiecaną". Ludzie mieli tam żyć i budować swoje domy. Jednak najpierw musieli tę ziemię zdobyć.Na razie nic o niej nie wiedzieli. Wszyscy byli bardzo ciekawi, jaka będzie ta ziemia obiecana. Wysłali więc dwunastu mężczyzn, aby poszli się rozejrzeć. I spójrz, co ci ludzie przynieśli! Takich wspaniałych owoców nikt jeszcze nie widział. Jednak dziesięciu mężczyzn nie wierzyło w to, że uda się zdobyć to warowne miasto i pokonać mieszkańców, którzy byli potężni jak olbrzymi. Tylko dwóch mężczyzn kochało Boga, ufało Mu, pamiętając o Bożych obietnicach. Większość ludzi usłuchała tych, którzy się bali. Nie pamiętali że Bóg opiekuje się nimi i nie ma dla Niego rzeczy niemożliwych.

1. Co Bóg chciał dać swemu ludowi?
2. Czy ludzie zaufali Bogu?
3. Czy ufasz Bogu każdego dnia?

The Promised Land
Numbers 13

God promised His people a wonderful land. He called it „the promised land". People were to live there and build their houses there. But first they had to conquer it. They did not know much about the land. They were all curious about what this promised land was going to look like. So they sent twelve men to have a look around. And look what these men have brought! Nobody had ever seen such wonderful fruit before! But ten men did not believe that they were able to conquer the fortified cities and subdue the people who were as tall as giants. Only two men loved God and trusted Him remembering God's promises. Most people listened to the men who were afraid. They did not remember that God was taking care of them and that nothing was impossible for God.

1. What did God want to give to His people?
2. Did the people trust God?
3. Do you trust God every day?

Co tu widzisz?

Spójrz na winogrona i inne owoce. Czy warto było zdobywać tak urodzajną ziemię? Czy ludzie mieli odwagę wejść do „ziemi obiecanej"?

What can you see?

Look at the grapes and other fruit. Was it worth conquering such a fertile land? Were the people brave enough to enter the promised land?

Przejście przez Jordan

Księga Jozuego 3

Przed wejściem do „ziemi obiecanej" trzeba było przejść rzekę Jordan. Nie było to łatwe zadanie. Kiedyś przecież nie było mostów. Wśród ludu Bożego było mnóstwo dzieci, kobiet i słabych ludzi, którzy nie daliby rady przejść przez rzekę. Jednak Jozue, który był teraz nowym przywódcą, ufał Bogu i wiedział, że Bóg obiecał przeprowadzić lud przez Jordan. Polecił kapłanom wejść do rzeki. Gdy to uczynili woda zaczęła płynąć wolniej, aż wreszcie zatrzymała się i rozstąpiła, a ludzie mogli swobodnie przejść na drugą stronę. Gdy już wszyscy wyszli z wody, kapłani zaczęli iść w stronę brzegu. Gdy wyszli na trawę, wody Jordanu popłynęły jak poprzednio, a ludzie wielbili Boga za ten cud.

1. *Co robi Jozue?*
2. *W jaki sposób ludzie przeszli na drugą stronę?*
3. *Czy uważasz to za cud?*

Crossing the Jordan

Joshua 3

Before they could enter the promised land they had to cross the Jordan River. It was not an easy task. A long time ago there were no bridges. There were many children, women and weak persons among the people of God. They were not able to cross the river. But Joshua, the new leader, trusted God and knew that God had promised to lead the people across the Jordan. He told the priests to enter the river. As soon as they did, the water began flowing slower and slower and finally it stopped. It parted and the people could freely go to the other side. When the last person crossed the river the priests marched to the other side. As soon as they touched the grass the waters of the Jordan River started flowing like before. The people praised God for this miracle.

1. *What is Joshua doing?*
2. *How did the people cross the river?*
3. *Do you think it was a miracle?*

Co tu widzisz?
Ten mężczyzna pośrodku to Jozue. Pokazuje ludziom drogę, którą mają iść. Czy rozpoznajesz wśród nich kapłanów? Kapłani muszą czekać na środku rzeki, aż wszyscy przejdą na drugi brzeg.

What can you see?
The man standing in the middle is Joshua. He is showing the people the way to go. Can you recognize the priests? The priests have to wait in the middle of the river until everyone crosses to the other side.

Miasto Jerycho
Księga Jozuego 6

rzyjrzyj się tym wszystkim ludziom. Maszerują oni wokół murów miasta Jerycha. Jozue i jego lud są już w ziemi obiecanej. Żeby tu pozostać muszą walczyć z mieszkańcami Jerycha. Muszą zdobyć miasto. Bóg im powiedział, co mają robić. Ludzie posłuchali Boga. Każdego dnia obchodzili miasto wokół murów. Przez sześć dni robili to raz dziennie. Siódmego dnia musieli okrążyć miasto siedem razy. Gdy robili to po raz siódmy kapłani zadęli w swoje trąby, a ludzie głośno krzyczeli. Pod wpływem tego hałasu potężne mury zadrżały i rozpadły się na kawałki. Lud wkroczył do bezbronnego miasta. Wszyscy jego mieszkańcy zostali pokonani. Udało się to dlatego, że Bóg pomagał swojemu ludowi.

1. Jak nazywa się to miasto?
2. Co stanie się z murami miasta?
3. Kto dał to miasto Jozuemu i jego ludziom?

The City of Jericho
Joshua 6

Look at all these people. They are walking around the walls of Jericho. Joshua and his people are already in the promised land. To be able to stay there they have to fight the inhabitants of Jericho. They have to capture the city. God told them what to do. The people obeyed God. Every day they walked around the city walls. For six days they did it once a day. On the seventh day they were to go round seven times. When they did it the seventh time the priests blew their trumpets and the people shouted. At the shout the walls shook and collapsed. The people entered the defenseless city. The inhabitants were defeated because God helped His people.

1. What city is this?
2. What is going to happen with the walls of the city?
3. Who gave this city to Joshua and the people?

Stary Testament

Co tu widzisz?

Ilu kapłanów widzisz? Co oni robią? Czy widzisz ten tłum idący za kapłanami? Czy Jerycho zostało zdobyte?

What can you see?

How many priests can you see? What are they doing? Can you see the crowd following the priests? Is Jericho going to be captured?

Błąd Jozuego
Księga Jozuego 9

Ludzie Jozuego byli już w „ziemi obiecanej". Zdobyli Jerycho, a potem wiele innych miast. Mieszkańcy bali się ich i próbowali uniknąć śmierci. Niedaleko Jerycha leżało miasto Gibeon. Jego ludność chciała zachować pokój. Widzisz tych ludzi w zniszczonych szatach? To mieszkańcy miasta Gibeon. Nie chcą, aby Jozue zajął ich miasto. Zdecydowali, że oszukają Jozuego. Chcą go okłamać, że pochodzą z dalekiego kraju i chcą zawrzeć przymierze. Gdyby Jozue wiedział, że to mieszkańcy „ziemi obiecanej" odrzuciłby ich propozycję. Powinien był zapytać Boga w modlitwie, kim są ci ludzie. Jednak nie uczynił tego. Przyrzekł, że nie będzie z nimi walczył. Dlatego nie mógł potem zająć ich miast. Jozue był bardzo smutny, że nie spytał Boga, co powinien zrobić.

1. *Co mówią ludzie z Gibeonu?*
2. *O czym zapomniał Jozue?*
3. *Czy będziesz dziś pamiętać o modlitwie?*

Joshua's Mistake
Joshua 9

Joshua's people were already in the promised land. They conquered Jericho and then many more cities. The inhabitants were afraid of them and wanted to avoid death. Not far from Jericho there was a city of Gibeon. The people there wanted to live in peace. Can you see these people in shabby clothes? They are from Gibeon. They do not want Joshua to conquer their city. So they decide to deceive Joshua. They lie to Joshua that they have come from a far away country and want a promise of peace. If Joshua knew that they were from the promised land he would not have agreed. He should have asked God in prayer who these people were. But he did not do it. So he promised them that he would not fight against them. And later he could not conquer their city. Joshua was sorry that he had not asked God what he should have done in the first place.

1. *What are the people of Gibeon saying?*
2. *What did Joshua forget to do?*
3. *Are you going to remember about prayer today?*

Co tu widzisz?

Mężczyzna z Gibeonu ma w ręku chleb. Jest on spleśniały, a ludzie z Gibeonu mówią, że był świeży, gdy wychodzili z domu. Użyli podstępu, by Jozue uwierzył, że przybywają z daleka. Który z tych mężczyzn to Jozue?

What can you see?

This man from Gibeon is holding some bread in his hands. It is moldy and the people of Gibeon say that it was fresh when they left home. They used a trick to make Joshua believe that they were coming from far away. Where is Joshua?

Spotkanie Gedeona z aniołem
Księga Sędziów 6:1-24

Nadeszły czasy, gdy ludzie zapomnieli, że to Bóg przyprowadził ich do tego pięknego kraju. Zapomnieli o Jego pomocy w ciężkich chwilach i zaczęli robić rzeczy, które nie podobały się Bogu. Dlatego Bóg przestał im pomagać w walce z ich wrogami. Po pewnym czasie Bóg wybrał człowieka, który nazywał się Gedeon, do walki przeciwko wrogom swojego narodu. Anioł, którego widzisz wygląda, jak człowiek. Trudno było uwierzyć, że jest to anioł. Gedeon przyniósł ofiarę z pokarmów. Anioł dotknął jej końcem laski, buchnął ogień i ofiara spłonęła. Wtedy Gedeon przekonał się , że jest to anioł zesłany przez Boga. Od razu uwierzył w każde słowo, które anioł mu przekazał. Wiedział, że został wybrany przez Boga do wykonania ważnego zadania.

1. Który z tych dwóch mężczyzn jest aniołem?
2. Co robi anioł?
3. Czy Gedeon uwierzył w słowa anioła?

Gideon Meets an Angel
Judges 6:1-24

The time came when the people forgot that it was God who brought them to that beautiful land. They forgot that He helped them in difficult moments and they started doing things God did not like. So God could not help them fight their enemies any more. After some time God chose a man called Gideon to fight against the enemies of his land. You can see an angel who looks like a man. It was hard to believe that it was an angel. Gideon brought a food offering. The angel touched it with the tip of his staff. Fire flamed up from the rock and consumed the offering. Then Gideon could be sure that the angel had been sent by God. He believed every word he said. He knew he had been chosen by God to do an important task.

1. Which one of the two men is the angel?
2. What is the angel doing?
3. Has Gideon believed the words of the angel?

Co tu widzisz?
Co zrobił anioł z jedzeniem, które przyniósł Gedeon?
Czy zwykły człowiek może tak zrobić? Czy chciałbyś zobaczyć coś takiego?

What can you see?
What has the angel done with the food brought by Gideon? Can an ordinary man do something like it? Would you like to see that?

Boża pomoc
Księga Sędziów 7

 edeon miał tylko trzystu żołnierzy. Czy widzisz, jak liczne są wojska wroga? Jakże Gedeon może odnieść zwycięstwo nad tak liczną armią? Jednak wie, że Bóg mu pomoże, bo przedstawił Gedeonowi dobry plan. Gdy zapadła noc, a wrogowie spali, żołnierze Gedeona otoczyli obóz. Każdy żołnierz miał w ręku gliniany dzban, zapaloną pochodnię i trąbkę. Gdy przywódca dał sygnał wszyscy głośno zatrąbili i rozbili swoje dzbany. W ciemnościach nocy rozbłysły pochodnie, a trąbienie rozległo się po całym obozie. Wrogowie obudzili się przerażeni. Hałas był niesamowity, a światło oślepiające. Myśleli, że Gedeon ma potężną armię. W zamieszaniu zaczęli walczyć ze sobą nawzajem. W końcu zaczęli uciekać. Gedeon i jego ludzie tak długo ich ścigali, aż wygonili ze swojego kraju.

1. Co robią ludzie Gedeona?
2. Kto im pomaga?
3. Czy często potrzebujesz Bożej pomocy?

God's Help
Judges 7

Gideon had only three hundred warriors. Can you see how big the army of the enemy is? How can Gideon conquer such a mighty army? But he knows that God is going to help him because He showed Gideon an excellent plan. During the night, when the enemies were asleep, Gideon's warriors surrounded their camp. Each warrior had a clay jar, a burning torch and a trumpet. On a given sign they blew their trumpets and broke the jars. The torches brightened the darkness of the night and the trumpets' sound could be heard everywhere. The enemies jumped to their feet terrified. The noise was awful and the light dazzling. They thought Gideon's army was powerful. They began to fight with one another. And then they ran. Gideon and his people chased them away from their land.

1. What are Gideon's men doing?
2. Who is helping them?
3. Do you need God's help often?

Stary Testament

Co tu widzisz?

Gdzie są pochodnie? Czy możesz je policzyć? Co oprócz
pochodni mają Gedeon i jego ludzie?

What can you see?

Where are the torches? Can you count them? What else
do Gideon and his men have?

Historia Rut
Księga Rut 1-4

a piękna, młoda kobieta to Rut, synowa Noemi. Zbiera kłosy na polu. Żniwiarze, którzy ścinali zboże zawsze zostawiali trochę kłosów na ziemi. Pamiętali o ludziach tak biednych, jak Rut. Rut wymłóci kłosy. Potem zmiele ziarna na mąkę. Zmiele je na żarnach. To bardzo ciężka praca, ale Rut potrzebuje mąki, aby upiec chleb. Rut mieszka razem ze swoją teściową, która straciła męża, a potem obydwu synów i została sama na świecie. Była stara i nie dała rady zatroszczyć się o siebie. Rut nie zostawiła jej w potrzebie. Nie odeszła do swoich rodziców, ale została z Noemi, aby jej pomóc. Bóg wynagrodził Rut za jej dobre serce okazane teściowej i dał jej dobrego męża, który już zawsze troszczył się o nią i Noemi.

1. Co robi Rut?
2. Czy podoba ci się jej postępowanie?
3. Czy ty chętnie pomagałbyś innym?

Ruth's Story
Ruth 1-4

This beautiful young woman is called Ruth. She is Naomi's daughter-in-law. She is gleaning in the fields. The harvesters always left some grain on the ground, remembering about people who were poor like Ruth. Ruth will thresh the corn. Then she will grind the grain and make flour. She will grind it with a hand-mill. It is very hard work but Ruth needs flour to bake bread. Ruth lives with her mother-in-law who lost her husband and then both sons. She was old and alone could not take care of herself. Ruth did not leave her in need. She did not return to her parents, but stayed with Naomi to help her. God rewarded Ruth for her heart for her mother-in-law and gave her a good husband who took care of her and Naomi.

1. What is Ruth doing?
2. Do you think she is doing right?
3. Would you like to help others?

Co tu widzisz?

Czy widzisz porozrzucane kłosy na polu i zboże powiązane w snopki? Tam stoją dwaj mężczyźni, którzy obserwują Rut. Jeden z nich to Boaz. Do niego należy to pole. Boaz jest bogaty i chce poślubić Rut. Chce opiekować się nią i Noemi.

What can you see?

Can you see the sheaves and the ears of corn scattered in the field? There are two men watching Ruth. One of them is Boaz. It is his field. Boaz is rich and he wants to marry Ruth. He wants to take care of Ruth and Naomi.

Historia Anny
Pierwsza Księga Samuela 1:1-20

Anna modli się i prosi Boga o dziecko. Większość przyjaciółek Anny ma dzieci, tylko ona ich nie ma. Jest bardzo smutna. Tak bardzo chciałaby mieć dziecko i wie, że tylko Bóg może jej pomóc. Dlatego poszła z mężem do Domu Bożego. Teraz modli się do Boga i błaga Go o dziecko. Czy widzisz, jak kapłan Heli obserwuje Annę? Ten kapłan pełnił tu służbę Bożą. Patrząc na Annę myślał, że jest ona pijana. Tak bardzo płakała i rozpaczała nad swoim losem. Wreszcie Heli dowiedział się, że ta nieszczęśliwa kobieta prosi Boga o dziecko. Heli już wie, że Bóg wysłucha Annę i podaruje jej syna. Anna nazwie go Samuelem.

1. O co Anna prosi Boga?
2. Kto ją obserwuje?
3. Czy ty chętnie modlisz się w Domu Bożym?

Hannah's Story
1 Samuel 1:1-20

Hannah is praying and asking God for a baby. Most of Hannah's friends have babies but she does not. She is very sad. She would like to have a baby so much and she knows that only God can help her. So she and her husband have come to the House of God. Now she is praying and begging Him for a child. Can you see the priest Eli watching Hannah? The priest served God in the temple. Watching Hannah, he thought she was drunk. She wept so hard. Finally Eli learned that the miserable woman was asking God for a child. Eli knew that God would answer Hannah's prayer and give her a son. Hannah would call him Samuel.

1. What is Hannah asking God for?
2. Who is watching her?
3. Do you like praying in God' House?

Co tu widzisz?
Anna modli się w Domu Bożym. Czy twój kościół wygląda tak, jak ten na obrazku? Wtedy Dom Boży mieścił się w namiocie. Nie było w nim ławek, na których ludzie mogliby usiąść. Nie było ambony, ani ołtarza.

What can you see?
Hannah is praying at the House of God. Does your church look like the one in the picture? The House of God in those times was a tent. There were no pews to sit in. There was not a pulpit, nor an altar.

Samuel w świątyni

Pierwsza Księga Samuela 1:21-28

Spójrz na tego miłego chłopca. To Samuel. Czy pamiętasz, jak Anna modliła się o dziecko? Bóg ją wysłuchał i podarował jej chłopca, a ona obiecała, że odda go na służbę Bogu. Samuel nie jest już małym dzieckiem. Jest wystarczająco duży, aby pomagać Helemu w świątyni. Możesz się przekonać, że Anna była posłuszna Bogu i postąpiła zgodnie ze swoją obietnicą. Przyprowadziła synka do Domu Bożego, a sama odeszła do domu. Samuel tęskni za rodzicami, ale jest mu dobrze w świątyni i chce służyć Bogu. Czy zgadniesz co on tu robi? Czyści lampy. Czy widzisz jak się uśmiecha? Jest bardzo szczęśliwy.

1. *Kim jest ten chłopiec?*
2. *Co on robi?*
3. *Dlaczego nie jest ze swoją rodziną?*

Samuel at the Temple

1 Samuel 1:21-28

Look at this nice boy. His name is Samuel. Do you remember Hannah who prayed for a child? God answered her prayer and gave her a son. And she promised to give him back to God for His service. Samuel is not a little baby any more. He is big enough to help Eli in the temple. So you can see that Hannah was obedient and kept her promise. She brought her little son to the House of God. Then she left him there and returned home. Samuel missed his parents but he was happy in the temple. He wanted to serve God. Can you guess what he is doing here? He is cleaning lamps. Can you see his smile? He is very happy.

1. *Who is this boy?*
2. *What is he doing?*
3. *Why isn't he with his family?*

Co tu widzisz?

Obok Samuela stoi wiele lamp. Czy widzisz je? Ludzie w czasach Samuela nie znali jeszcze elektryczności. Nie mieli także świec. Nalewali oliwę do glinianych lamp i do środka wkładali sznurek. Po podpaleniu sznurka, lampa dawała światło.

What can you see?

There are many lamps around Samuel. Can you see them? People in the times of Samuel did not have electricity. They did not have candles either. They would pour olive oil into a clay lamp and put a wick inside. When they lit the wick the lamp would shed light.

Powołanie Samuela
Pierwsza Księga Samuela 3:1-18

Samuel powinien już spać, ale nie śpi. Ktoś woła go po imieniu. Samuel słyszy głos, ale nikogo nie widzi. Biegnie do Helego, ale to nie on go wzywał. Samuel kładzie się z powrotem do łóżka i znowu słyszy wołanie. Biegnie do Helego. Ale Heli go nie wołał. Gdy powtórzyło się to po raz trzeci, stary Heli zrozumiał, że to sam Bóg chce rozmawiać z Samuelem. „Jeśli zawoła znowu, to powiedz: „Mów, Panie, bo sługa Twój słucha"- poradził chłopcu. Samuel położył się do łóżka. I Bóg ponownie zawołał, a Samuel odpowiedział tak, jak nakazał mu Heli. Wtedy Bóg powiedział mu coś bardzo ważnego. Od tej pory Samuel często słyszał głos Boga. W przyszłości został kapłanem i wielkim prorokiem, przez którego Bóg przemawiał do swojego ludu.

1. Dlaczego Samuel nie śpi?
2. Kto do niego przemówił?
3. Kim zostanie Samuel?

The Calling of Samuel
1 Samuel 3:1-18

Samuel should be asleep but he is not. Someone has been calling his name. Samuel can hear the voice but he cannot see anyone. He runs to Eli, but Eli has not called him. Samuel goes back to bed and hears the calling again. He runs to Eli. But Eli has not called him. When it happened the third time old Eli realized that it was God who was calling Samuel. „If He calls you again", Eli advised, say 'Speak, Lord, for your servant is listening." Samuel went to bed and God called him again. And Samuel answered just like Eli told him. Then God told him something very important. Since that time Samuel heard the voice of God quite often. In the future he would become a priest and a great prophet. God would speak to His people through him.

1. Why isn't Samuel asleep?
2. Who has been calling him?
3. Who will Samuel become in the future?

Co tu widzisz?

Czy pokój Samuela wygląda tak jak twój? Czy twoje łóżko jest podobne do tego na obrazku? Czym jego pokój tak różni się od twojego?

What can you see?

Does Samuel's room look like yours? Is your bed similar to the bed in the picture? What are the differences between his room and your room?

Samuel namaszcza Dawida

Pierwsza Księga Samuela 16:1-13

idzisz tego mężczyznę z siwą brodą? To Samuel. Bardzo się postarzał. Jest kapłanem i najważniejszą osobą w kraju, ważniejszą nawet od króla Saula. Samuel rozmawia z Bogiem, a potem oznajmia ludowi Jego wolę. Król Saul słuchał Boga, ale przyszedł czas, że przestał być Mu posłuszny. Żył niezgodnie z Jego wolą. Bogu to się nie podobało. Chciał mieć nowego króla, takiego, który byłby Mu posłuszny. Bóg polecił Samuelowi, aby udał się do domu pasterza Dawida i pokropił jego głowę oliwą. Nazywało się to „namaszczeniem", a oznaczało, że Dawid będzie następnym królem. Jednak miało to nastąpić dopiero po pewnym czasie. Dlatego Dawid mógł wrócić do swoich zajęć, paść owce i czuwać nad ich bezpieczeństwem. W wolnym czasie grał na harfie i śpiewał Bogu pieśni, które sam układał.

1. Kim jest Dawid?
2. Co robi Samuel?
3. Co to oznacza?

Samuel Anoints David

1 Samuel 16:1-13

Can you see the man with the white beard? It is Samuel. He is very old now. He is the priest and the most important person in the land, even more important than King Saul. Samuel talks to God and then he tells the people the will of God. At first King Saul obeyed God, but then he stopped being obedient. He did not live according to God's will. God did not like it. He wanted a new king, one who would be obedient to Him. God told Samuel to go to the house of David, a shepherd, and pour olive oil on his head. It was called „anointing" and it meant that David would be the next king. But it wouldn't to happen right away. So David returned to his work: he fed the sheep and took care of them. In his free time he played the harp and sang his own songs to God.

1. Who is David?
2. What is Samuel doing?
3. What does it mean?

Co tu widzisz?

Samuel wylewa oliwę z rogu. Widzisz jak taki róg wygląda? Samuel napełnił go oliwą. Widzisz, jak wylewa ją na głowę Dawida?

What can you see?

Samuel is pouring some oil from the horn. Can you see the horn? Samuel filled it with olive oil. Can you see him pouring it on David's head?

Dawid i Goliat
Pierwsza Księga Samuela 17

Spójrz na tego olbrzyma! Czy widziałeś już kiedyś tak ogromnego człowieka? Czy chciałbyś z nim walczyć? Ma on ogromną tarczę i włócznię, na głowie zaś hełm, a u boku miecz. Jak może Dawid pokonać go tą małą procą? Żołnierze z armii Dawida bali się olbrzyma. Na imię miał Goliat. Zabił wielu ludzi. Dawid był młodym chłopcem. Jednak nie czuł żadnego lęku, bo ufał Bogu i wierzył w Jego pomoc. Gdy Goliat zobaczył Dawida, idącego ku niemu tylko z kijem i procą, wybuchnął śmiechem. Wtedy Dawid włożył kamień do procy i wystrzelił. Kamień z ogromną prędkością przeciął powietrze i ugodził olbrzyma w czoło. Goliat upadł na ziemię. Bóg pomógł Dawidowi pokonać wielkiego wroga.

1. *Jak uzbrojony jest Goliat?*
2. *Co Dawid trzyma w ręku?*
3. *Kto pomógł Dawidowi?*

David and Goliath
1 Samuel 17

Look at this giant! Have you ever seen such a big man? Would you like to fight against him? He is holding a huge shield and spear. He has a helmet on his head and a big sword at his side. Can David beat him with this little sling? The warriors of Saul's army were afraid of the giant. His name was Goliath. He had killed many people. David was just a young boy. But he was not afraid because he trusted God and believed He would help him. When Goliath saw David coming towards him with just a staff and a sling, he burst out laughing. But David put a stone into his sling and slung it. The stone cut the air with great speed and struck the giant on the forehead. Goliath fell to the ground. God helped David defeat that big enemy.

1. *How is Goliath armed?*
2. *What is David holding in his hand?*
3. *Who helped David?*

Co tu widzisz?

Czy widzisz żołnierzy Goliata? Czy możesz zliczyć te wszystkie włócznie i miecze? Jest ich zbyt dużo, prawda? Czy chciałbyś być na miejscu Dawida?

What can you see?

Can you see Goliath's warriors? Can you count all the spears and swords? There are too many of them, aren't there? Would you like to be in David's shoes?

Najlepsi przyjaciele
Pierwsza Księga Samuela 18:1-4

en młody mężczyzna w zielonym płaszczu to książę Jonatan. Jego ojciec jest królem. Jonatan chciałby, aby Dawid był jego przyjacielem. Uważa, że Dawid jest odważny. Wiesz, dlaczego tak myśli? Przypominasz sobie, jak Dawid pokonał Goliata? Okazał się wtedy odważniejszy od wszystkich pozostałych żołnierzy. Zwyciężył, stał się sławny i został wodzem całej armii. Stało się tak, gdyż Dawid zawsze ufał Bogu i był Mu posłuszny. Jonatan bardzo polubił Dawida. Dał mu swój miecz, łuk, płaszcz oraz pas. Te niezwykłe dary pokazują Dawidowi, że Jonatan naprawdę chce być jego najlepszym przyjacielem. Bo najlepsi przyjaciele dają sobie nawzajem różne podarunki, prawda? Dawid również pokochał Jonatana. Przede wszystkim jednak był przyjacielem Boga.

1. Co Jonatan daje Dawidowi?
2. Czego oczekuje Jonatan od Dawida?
3. Czy ty jesteś miły dla swojego przyjaciela?

Best Friends
1 Samuel 18:1-4

This young man wearing the green coat is prince Jonathan. His father is the king. Jonathan wants David to be his friend. He thinks David is brave. Do you know why he thinks so? Do you remember how David defeated Goliath? He was more courageous then the rest of the warriors. He won and became famous. He became the commander-in-chief of the whole army. And it was so because David always trusted God and was obedient. Jonathan liked David very much. He gave him his sword, his bow, his coat and his belt. These special gifts showed David that Jonathan really wanted to be his best friend, because best friends give each other gifts, don't they? David also loved Jonathan. But most of all he loved God.

1. What is Jonathan giving David?
2. What does Jonathan expect of David?
3. Are you nice to your friends?

Co tu widzisz?

Czy widzisz prezenty od Jonatana? Co to jest? Czy chciałbyś dostać takie prezenty?

What can you see?

Can you see Jonathan's gifts? What are they? Would you
like to get such gifts?

Ucieczka przed królem Saulem

Pierwsza Księga Samuela 23: 19-28

obacz jaką minę ma król Saul. Jest zazdrosny. Czy to nie śmieszne, że król jest zazdrosny? Ma przecież wszystko, czego sobie życzy. Saul jest zazdrosny o młodego człowieka imieniem Dawid. Wie, że wszyscy kochają Dawida i Bóg mu błogosławi. Saul domyślał się, że to Dawid zostanie królem. Saul nie chciał tego. Chciał być królem do końca swojego życia. Pragnął, aby tron po nim objął jego syn, książę Jonatan. Coraz bardziej się tym dręczył i próbował kilka razy zabić Dawida. Od tej pory Dawid nie mógł przebywać w pałacu króla. Jego sytuacja stawała się coraz gorsza. Musiał się ukrywać. Jednak Bóg osłaniał go i nie stało mu się nic złego.

1. *Dlaczego Saul chce zabić Dawida?*
2. *Kto go przed tym powstrzyma?*
3. *Czy dziękujesz Bogu za to, że cię ochrania?*

Running away from King Saul

1 Samuel 23:19-28

Look at King Saul's face. He is jealous. Isn't it funny that the king is jealous? He has everything he wants. Saul is jealous of a young man named David. He knows everybody loves David and God blesses him. Saul guessed that David would become the next king. He did not want that. He wanted to be the king till the end of his life. He wanted his son, prince Jonathan, to rule after him. He was getting more and more upset by the situation. He tried to kill David several times. Since then, David could not stay at the king's palace. His situation was becoming more and more difficult. He had to hide. But God protected him and no harm was done to him.

1. *Why does King Saul want to kill David?*
2. *Who will stop him?*
3. *Do you thank God for protecting you?*

Co tu widzisz?

Dawid ukrył się przed Saulem. Ten mężczyzna przybył, żeby powiedzieć królowi, gdzie może znaleźć Dawida. Widzisz miecz Saula? Widzisz jego żołnierzy z włóczniami? Bóg ochroni Dawida przed królem i jego żołnierzami.

What can you see?

David hid from Saul. That man came to the king to tell him where David was hiding. Can you see Saul's sword? Can you see his men with spears? God will protect David from the king and his soldiers.

Pomoc Abigail
Pierwsza Księga Samuela 25:1-35

awid ukrył się przed królem Saulem. Król chce zabić także tych, którzy kochają Dawida. Dlatego wszyscy ukrywają się razem z Dawidem. Swoje kryjówki mają w jaskiniach. Często pomagają ludziom mieszkającym w pobliżu. Pewnego dnia schwytali kilku rabusiów, którzy chcieli ukraść owce Nabala. Nabal był bardzo bogaty, ale także bardzo skąpy. Nie potrafił docenić pomocy Dawida. Nie chciał podzielić się jedzeniem z Dawidem i jego ludźmi. Nie podobało się to żonie Nabala-Abigail. Dowiedziała się, że Dawid chce się zemścić. Było jej przykro, że jej mąż okazał się takim egoistą. Widzisz co robi Abigail? Przynosi jedzenie Dawidowi i jego towarzyszom. Dostali oni chleb, pieczone mięso, suszone owoce i wino do picia. Czy nie uważasz, że to dobra kobieta?

1. *Gdzie jest Abigail?*
2. *Co Abigail przyniosła Dawidowi?*
3. *Dlaczego to zrobiła?*

Abigail's Help
1 Samuel 25:1-35

David was hiding from King Saul. The king also wanted also to kill those who loved David. So they are hiding together with David. They are hiding in the caves. They often help people living near by. One day they captured some thieves who tried to steal Nabal's sheep. Nabal was very rich but also very stingy. He did not appreciate David's help. He did not want to share food with David and his men. Nabal's wife, Abigail, did not like it. She learned that David planned a revenge. She was sorry that her husband was so selfish. Can you see what Abigail is doing? She has brought food for David and his men. She gave them some bread, meat, dried fruit and wine to drink. Don't you think she is a good woman?

1. *Where is Abigail?*
2. *What has Abigail brought?*
3. *Why did she do it?*

Co tu widzisz?
Pokaż wszystkie rzeczy, które przyniosła Abigail. Leżą tu chleby, figi, ziarno, rodzynki i mięso.

What can you see?
Point out the things that Abigail has brought. There is some bread, figs, grain, raisins and meat.

Wspaniałomyślność Dawida
Pierwsza Księga Samuela 26

§aul ciągle ściga Dawida. Chce go zabić. Boi się, że Dawid zostanie królem. Saul zamierza do końca życia pozostać władcą. Chciałby, aby po jego śmierci tron objął jego syn. Na obrazku jest noc. Saul śpi. Jego żołnierze również śpią. W tym czasie, gdy oni spali, Dawid i jego przyjaciel podkradli się na palcach do obozu Saula. Cicho podeszli do króla, zabierając mu włócznię i bukłak na wodę. Potem wspięli się na wysoką górę i głośno krzyknęli. Saul i jego żołnierze spojrzeli w górę. Ujrzeli w rękach Dawida włócznię i bukłak króla. Saul bardzo się zawstydził. Zrozumiał, że Dawid był blisko i mógł go zabić, a jednak darował mu życie.

1. Jakie plany ma Saul wobec Dawida?
2. Czy Dawid ukarał króla?
3. Czy każdy postąpiłby tak jak Dawid?

David's Generosity
1 Samuel 26

Saul is still chasing David. He wants to kill him. He is afraid David will become king. Saul wants to be the ruler till the end of his life. He wants his son to sit on the throne after his death. It is a night in the picture. Saul is asleep. His warriors are also asleep. While they were sleeping David and his friend crept to Saul's camp. They quietly approached the king and took his spear and his water jug. Then they climbed to the high hill on the other side and shouted loudly. Saul and his warriors woke up. They saw the king's spear and water jug in David's hands. Saul was so ashamed. He realized that David was so close to him that he could have killed him, but that he spared his life.

1. What does Saul want to do with David?
2. Did Saul punish the king?
3. Would everyone do as David did?

Co tu widzisz?
Widzisz włócznię Saula? A jego bukłak na wodę? Dawid jest łaskawy dla króla, chociaż Saul ma względem niego złe zamiary.

What can you see?
Can you see Saul's spear? And his water jug? David has been generous to the king although Saul had bad intentions toward David.

Arka Przymierza powraca do Jerozolimy

Druga Księga Samuela 6

 awid zawsze ufał Bogu i wypełniał Jego wolę. W końcu nadszedł dzień, gdy Dawid został królem. Wtedy uczynił Jerozolimę stolicą swojego państwa. Ponieważ bardzo kochał Boga, pragnął sprowadzić Arkę Przymierza do swojego miasta. Z tego powodu w Jerozolimie odbywało się wielkie święto. Spójrz na Dawida. Widać po nim, że jest bardzo szczęśliwy. Gra na harfie, śpiewa i tańczy. Wyraża swoją wdzięczność Bogu. Tak bardzo się cieszy, że będzie mógł być jeszcze bliżej Boga.

1. Co robi król Dawid?
2. Co niosą idący za nim ludzie?
3. Dlaczego Dawid jest taki szczęśliwy?

The Ark of the Covenant Brought to Jerusalem

2 Samuel 6

David always trusted God and did His will. And finally the day came when he became king. He made Jerusalem the capital of his country. Because he loved God so much he wanted to bring the Ark of the Covenant back to his city. Jerusalem is rejoicing. Look at David. You can see that he is very happy. He is playing the harp, singing and dancing. He is expressing his gratitude to God. He is so glad that he will be able to be even closer to God.

1. What is the king doing?
2. What are the people behind him carrying?
3. Why is David so happy?

Co tu widzisz?
Czy ci ludzie wyglądają na szczęśliwych, czy na smutnych? A jak wygląda Dawid? Dlaczego wszyscy są tacy szczęśliwi? Jesteśmy szczęśliwi wtedy, gdy czynimy coś, co podoba się Bogu.

What can you see?
Do these people look glad or sad? And David? Why are they all so happy?
We are happy when we do something that pleases God.

Meribbaal

Druga Księga Samuela 9

Ten młody mężczyzna o kuli to Meribbaal. Jego ojcem był książę Jonatan, najlepszy przyjaciel Dawida. Jonatan został zabity, kiedy Meribbaal był jeszcze małym chłopcem. Piastunka wybiegła wtedy z dzieckiem na rękach. Bardzo się bała i chciała uciec. Biegnąc, upadła i upuściła chłopca. Meribbaal połamał sobie nogi. Po tym wypadku już nigdy nie mógł normalnie chodzić. Teraz jest już dorosły. Król Dawid wezwał go do siebie. Meribbaal był przerażony, bo nie wiedział, co król zechce uczynić. Jednak bał się zupełnie bez powodu. Dawid polubił go ze względu na pamięć swego przyjaciela, Jonatana. Teraz Meribbaal zamieszka w domu Dawida. Sam król zatroszczy się o jego ubranie i jedzenie. Syn przyjaciela na zawsze pozostanie mu drogi.

1. Kim był Meribbaal?
2. Dlaczego bał się Dawida?
3. Jak Dawid potraktował Meribbaala?

Mephibosheth

2 Samuel 9

This young man walking on crutches is Mephibosheth. He is the son of prince Jonathan, David's best friend. Jonathan was killed when Mephibosheth was still a little boy. His nurse ran away holding him in her arms. She was afraid and wanted to escape. But she stumbled and dropped the boy to the ground. Mephibosheth broke his arms and legs. After that accident he could never walk normally. He is a grown-up now. King David sent for him. Mephibosheth was scared because he did not know what the king wanted from him. But he should not have been afraid. David loved him because of his friend, Jonathan. Mephibosheth would live in the house of David. The king would provide clothes and food for him. His friend's son would always be dear to his heart.

1. Who is Mephibosheth?
2. Why was he afraid of David?
3. How did David treat Mephibosheth?

Co tu widzisz?

Kto klęczy przed Dawidem? Jak myślisz, czy król Dawid jest bogaty, czy biedny? Dlaczego tak uważasz?

What can you see?

Who is kneeling in front of David? Is the king rich or poor? Why do you think so?

Przebaczenie winy
Druga Księga Samuela 19:16-24

en mężczyzna, który podchodzi do króla Dawida to Szimei. Lęka się, ponieważ źle mówił o królu. Zwymyślał go bardzo brzydkimi słowami. Dawid mógł go zabić, ale nie zrobił tego, chociaż niejeden król tak by postąpił. Szimei bardzo żałuje, że mówił tak brzydko. Prosi króla o przebaczenie, a Dawid przebacza mu. Na pewno zdarzyło Ci się zrobić coś takiego, czym zasmuciłeś rodziców. Czy prosiłeś ich o wybaczenie? Jeśli tak, to rodzice z pewnością ci wybaczyli. Jakże często zdarza się nam zrobić przykrość samemu Bogu. Jednak, gdy poprosimy Go o przebaczenie, Bóg przebaczy nam, bo bardzo nas kocha.

1. Który z tych mężczyzn jest królem?
2. O co Szimei prosi króla Dawida?
3. Czy ty też potrzebujesz przebaczenia?

Forgiveness of Guilt
2 Samuel 19:16-24

The man approaching David is called Shimei. He is afraid because he said wicked things about the king. He cursed the king with bad words. David could have killed him, but he did not do it. Many kings would have done it. Shimei is very sorry for his words. He is asking the king to forgive him and David forgives him. You may have done something in your life which made your parents sad. Did you ask them for forgiveness? If so, your parents surely forgave you. How often we make God sad. But if we ask His forgiveness, He will always forgive us because he loves us very much.

1. Which one of the men is the king?
2. What is Shimei asking David for?
3. Do you need forgiveness?

Co tu widzisz?

Ta rzeka, którą widzisz nazywa się Jordan. Dawid mieszkał po drugiej stronie tej rzeki. Kilku ludzi chciało go zabić, dlatego Dawid opuścił swój pałac i ukrywał się. Teraz jest znowu bezpieczny i może wrócić do domu.

What can you see?

This is the Jordan River. David lives on the other side of the river. Several people planned to kill him, so David left his palace and hid. Now he is safe again and can return home.

Plany Dawida
Pierwsza Księga Kronik 22-26

ról Dawid mieszkał w pięknym pałacu zbudowanym z kamieni i drzewa cedrowego. Był to naprawdę wspaniały pałac. Jednak król nie był w nim w pełni szczęśliwy. Patrzył na Dom Boży, który był zaledwie namiotem. Dawid martwił się tym i nie mógł przestać o tym myśleć. Chciał by Dom Boga był wspanialszy od jego domu. Jednak Bóg miał inne plany. Przez proroka Natana oznajmił Dawidowi swoją wolę. Bóg powiedział, że świątynię dla Niego zbuduje dopiero przyszły król- syn Dawida, Salomon. Teraz Dawid pomaga Salomonowi zrobić projekt świątyni. Widzisz, jak o tym rozmawiają? Salomon wybuduje wkrótce wspaniałą świątynię. Cały naród będzie tam wielbił swojego potężnego Boga.

1. Czym martwi się Dawid?
2. O czym rozmawiają Dawid i Salomon?
3. Co Ty możesz zrobić dla Domu Bożego?

David's Plans
1 Chronicles 22-26

King David lived in a wonderful palace built of stone and cedar wood. It was a really magnificent palace. But the king was not fully happy. He looked at the House of God - a mere tent. David was worried and he could not stop thinking about it. He wanted the House of God to be even more magnificent than his house. But God had other plans. He declared His will to David through the prophet Nathan. God told him that the future king, David's son, Solomon, would build Him the temple. David is helping Solomon to design the temple. You can see them discussing it. Soon Solomon will build the wonderful temple. The people will worship their mighty God there.

1. What is David worried about?
2. What are David and Solomon talking about?
3. What can you do for the House of God?

Co tu widzisz?
Ci dwaj mężczyźni chcą zbudować Bogu piękny Dom.
Który z nich jest królem Dawidem? A który jego synem,
Salomonem?

What can you see?
These two men want to build a wonderful House for
God. Which one of them is King David? And which is
his son, Solomon?

Rozsądna prośba Salomona
Pierwsza Księga Królewska 3:1-15

Na obrazku widzisz króla Salomona, syna Dawida. Król śpi i ma właśnie niezwykły sen. W tym śnie przemawia do niego Bóg, który chce dać Salomonowi coś cennego. Jak myślisz, o co poprosi król? Może prosić o złoto, srebro czy inne skarby. Może prosić o sławę. Może prosić o to, by został potężnym wodzem i władcą, którego wszyscy będą się bać. Salomon zastanawia się. Jest królem, rządzi tysiącami ludzi. Jest młody i brak mu doświadczenia, a chce być dobrym królem. O co więc poprosi Boga? Poprosi o coś, co będzie pożyteczne dla jego ludu - o mądrość. Bogu bardzo podobała się taka prośba. Dał Salomonowi taką mądrość, jakiej nikt dotąd nie posiadał, ani nikt w przyszłości mieć nie będzie. Dał mu także to, o co nie prosił - sławę i wielkie bogactwo.

1. O co Salomon prosił Boga?
2. Dlaczego podobało się to Bogu?
3. Czy twoje prośby podobają się Bogu?

Solomon's Reasonable Request
1 Kings 3:1-15

You can see King Solomon, David's son, in the picture. The king is asleep. He is dreaming an amazing dream. God is speaking to him in the dream. He wants to give him something valuable. What do you think Solomon is going to ask for? He can ask for gold, silver or other treasures. He can ask for fame. He can ask God to make him a mighty leader and king whom all the people would fear. Solomon is thinking. He is the king. He rules over thousands of people. He is young. He has no experience, but he wants to be a good king. What is he going to ask God for? He is going to ask for something useful for his people - for wisdom. God liked his request very much. He gave Solomon such wisdom like nobody had ever had it before and would never have it in the future. He also gave him things he did not ask for - fame and great riches.

1. What did Solomon ask God for?
2. Why did it please God?
3. Are your requests pleasing to God?

Co tu widzisz?

Co ciekawego widzisz w pokoju Salomona? Co robi ten mężczyzna stojący u wejścia do namiotu?

What can you see?

What interesting things can you see in Solomon's room? What is the man at the entrance of the tent doing?

Eliasz i kruki

Pierwsza Księga Królewska 17

en mężczyzna na obrazku to Eliasz. Jest on prorokiem, przyjacielem Boga. Jako jedyny człowiek nie bał się mówić prawdy nawet samemu królowi. W Izraelu panował wtedy nowy król. Był to bardzo zły człowiek. Nie kochał Boga, lecz oddawał cześć bożkom. Bóg nie mógł dłużej na to patrzeć. Przez proroka Eliasza zapowiedział wielką suszę. Przez kilka lat na ziemię nie spadła ani jedna kropla deszczu. Codziennie świeciło piekące słońce, urodzajna ziemia zmieniła się w pustynię i nastał głód. Król Achab rozgniewał się na Eliasza i postanowił go zabić. Widzisz, gdzie ukrywa się Eliasz? Siedzi nad potokiem w głębi gór. Nikt nie może go znaleźć. Sam Bóg troszczy się o niego. Rano i wieczorem przysyła kruki, które przynoszą Eliaszowi jedzenie.

1. *Co przynoszą kruki Eliaszowi?*
2. *Dlaczego to robią?*
3. *W jaki sposób ty otrzymujesz pożywienie?*

Elijah and the Ravens

1 Kings 17

This young man in the picture is Elijah. He is a prophet and God's friend. He is the only man who is not afraid to tell the king the truth. There was a new king in Israel at that time. He was a very bad person. He did not love God, but he worshipped idols. God could not stand it any more. He announced a long period of drought. For the next few years there was not even a drop of rain. Everyday the blazing sun was shining, fertile land changed into a desert and there was famine in the land. King Ahab got angry at Elijah and wanted to kill him. Can you see where Elijah is hiding? He is sitting beside the brook in the mountains. Nobody can find him there. God himself is taking care of him. In the morning and in the evening God sends ravens to bring food to Elijah.

1. *What do the ravens bring Elijah?*
2. *Why do they do it?*
3. *How do you get your food?*

Co tu widzisz?
Czy widzisz trawę, kwiaty lub drzewa? Dlaczego nie? Co stało się z pogodą?

What can you see?
Can you see any grass, flowers or trees in the picture? Why not? What is the weather like?

Bóg żywi Eliasza
Pierwsza Księga Królewska 17:1-16

rzez bardzo długi okres czasu nie padał deszcz. Ludzie cierpieli głód. Przez wiele dni Bóg posyłał Eliaszowi jedzenie przez kruki. Po pewnym czasie potok wysechł, bo nie było deszczu. Wtedy Bóg znowu zaopiekował się Eliaszem. Wysłał go do pewnej kobiety, która mieszkała sama z synem. Gdy Eliasz poprosił ją o pomoc, spojrzała na niego ze smutkiem. Nie miała już prawie nic do jedzenia. W domu było tylko trochę mąki i oliwy do zrobienia ostatniego małego placka dla niej i dla syna. Wkrótce czekała ich śmierć z głodu. Lecz Bóg nie pozwolił im umrzeć! Ta biedna wdowa upiekła placek dla Eliasza, a wtedy zdarzył się cud - w garnku znowu pojawiła się mąka, a w dzbanie oliwa. Mogła codziennie piec chleb. Bóg żywił Eliasza, a także kobietę i jej syna.

1. *Kogo widzisz na tym obrazku?*
2. *Co obiecał Bóg Eliaszowi i tej kobiecie?*
3. *Czy Bóg dotrzymał obietnicy?*

God Feeds Elijah
1 Kings 17:1-16

It had not rained for a very long time. The people were starving. For many days God sent food to Elijah by the ravens. Then the brook dried up because there was no rain. But God still took care of Elijah. He sent him to a certain woman who lived with her son. When Elijah asked her for help, she looked at him with sadness. She had hardly anything left to eat. There was only a little flour and oil in the house to make the last cake of bread for her and her son. Soon they would starve to death. But God did not want them to die! This poor widow baked some bread for Elijah and then a miracle happened - the jar of flour was never empty and the jug of oil was never used up. She could make bread every day. God fed Elijah and also the woman and her son.

1. *Who can you see in the picture?*
2. *What did God promise Elijah and the woman?*
3. *Did God keep His promise?*

Stary Testament

Co tu widzisz?

Jak myślisz, czy ta kobieta i jej syn są bogaci? Dlaczego brakuje im jedzenia? Czy przyjmą do siebie Eliasza?

What can you see?

Do you think this woman and her son are rich? Why do they lack food? Will they receive Elijah to their house?

Uratowany chłopiec
Pierwsza Księga Królewska 17:17-24

a kobieta jeszcze przed chwilą płakała. Jej syn ciężko zachorował i umarł. Myślała, że Bóg pokarał ją za grzechy. Była pewna, że już nigdy nie zobaczy swego syna żywego. Jednak pobiegła do Eliasza, bo wiedziała, że jest on przyjacielem Boga. Prorok nie mógł patrzeć na rozpacz tej kobiety. Wziął zmarłego chłopca do swego pokoju i prosił Boga o pomoc. Modlił się gorąco wiele razy. Jak myślisz, co się potem stało? Chłopiec poruszył się i zaczął oddychać. Był znowu żywy. Eliasz wziął go na ręce i odniósł matce. Teraz już wiesz, dlaczego chłopiec i jego matka są tacy szczęśliwi, a także dlaczego Eliasz patrzy na nich z radosnym uśmiechem.

1. Dlaczego wszyscy są tacy szczęśliwi?
2. Kto sprawił, że chłopiec znowu żyje?
3. Czy można przywrócić komuś życie?

The Boy Healed
1 Kings 17:17-24

This woman was crying a moment ago. Her son had been seriously ill and had died. She had thought that God was punishing her for her sins. She was sure she would never see her son alive again. But she ran to Elijah because she knew he was God's friend. The prophet could not watch her despair. Elijah took the dead boy to his room and asked God for help. He prayed fervently several times. And what do you think happened? The boy stirred and began breathing. He came back to life. Elijah picked him up and carried him to his mother. So now you know why the boy and his mother are so happy and why Elijah is looking at them with a big smile on his face.

1. Why are these people so happy?
2. Who brought the boy back to life?
3. Who can raise someone from the dead?

Co tu widzisz?

Co widzisz w tym domu? Których przedmiotów nie ma w twoim mieszkaniu?

What can you see?

What can you see in this house? Which things are different from the ones you have at your house?

Modlitwa o ogień
Pierwsza Księga Królewska 18

rzez trzy lata nie było deszczu i ludzie głodowali. Gdy Bóg uznał, że minął już okres kary, wysłał Eliasza do króla Achaba. Eliasz wiedział, że tylko Bóg może zesłać deszcz. Lecz zły król czcił bożka Baala. Eliasz chciał pokazać królowi, że jest tylko jeden prawdziwy Bóg. Kazał zbudować ołtarz, a potem położyć na nim drewno i ofiarę. Gdy przyszli prorocy Baala, głośno modlili się do swojego boga i prosili go o ogień. Modlili się i modlili, ale nic się nie wydarzyło. Wtedy Eliasz zbudował ołtarz, położył na nim drewno i mięso. Potem polał wszystko trzy razy wodą. Widzisz, jak Eliasz klęczy z rękoma uniesionymi do góry? Prosi Boga, by zesłał ogień z nieba. Bóg wysłuchał Eliasza, a wszyscy na własne oczy zobaczyli, kto jest prawdziwym Bogiem.

1. O co Eliasz prosi Boga?
2. Dlaczego Bóg zesłał ogień?
3. Do kogo powinniśmy się modlić?

The Prayer for the Fire
1 Kings 18

There had been no rain for three years and the people were starving. Then God decided that the time of punishment was over and He sent Elijah to King Ahab. Elijah knew that only God could send rain. But the wicked king worshipped an idol - Baal. Elijah wanted to prove to the king that there was only one true God. He told the people to build an altar and put some wood and an offering on it. Then the prophets of Baal came and prayed to their god to consume the offering with fire. They prayed and prayed but nothing happened. Then Elijah built his altar, put some wood on it and a sacrifice. Then he poured water on the altar three times. Can you see Elijah kneeling with his arms raised up? He is asking God to send fire from heaven. God answered Elijah's prayer and sent fire from heaven. And everybody saw who the true God was.

1. What is the prophet Elijah asking God for?
2. Why did God send fire?
3. Who should we pray to?

Stary Testament

Co tu widzisz?
Na tym ołtarzu pali się ogień. Czy zapalił go Baal? Kto
zesłał ten ogień?

What can you see?
The fire is burning on this altar. Did Baal light the fire?
Who lit the fire?

Cichy szept
Pierwsza Księga Królewska 19:1-18

liasz opuścił swój dom. Zła królowa chciała go zabić. Prorok znowu musiał uciekać. Ukrył się na wysokiej górze. Eliasz chciał, aby Bóg uczynił coś wielkiego, aby wszyscy uwierzyli, że tylko jego Bóg jest prawdziwy. Nagle zaczął wiać wiatr. Był to wicher potężny i silny. Ale w tym wichrze nie było Boga. Potem góra zadrżała, poruszona trzęsieniem ziemi. Ale Boga też tam nie było. Wtedy ogień ogarnął górę i po raz trzeci Eliasz pomyślał, że jest tam Bóg. Ale Boga tam nie było. Gdy ustał ogień i skończył się hałas, nastała cisza. Eliasz usłyszał łagodny, cichy głos. To Bóg do niego szeptał. Eliasz zrozumiał, że Bóg nie musi dokonywać wielkich czynów, aby pokazać ludziom, że jest Bogiem. To, co Bóg mówi jest ważne nawet wtedy, gdy On tylko szepcze.

1. Kto mówi do Eliasza?
2. Jak głośno mówił Bóg do Eliasza?
3. Czy wiesz o tym, że Bóg może być wszędzie?

A Gentle Whisper
1 Kings 19:1-18

Elijah left his house. A wicked queen wanted to kill him. The prophet had to flee again. He hid on a high mountain. Elijah wanted God to do something great so that all would believe that only his God was real. Suddenly a wind came. It was powerful and strong. But God was not there in the wind. Then the mountain shook because of an earthquake. But God was not there. Then fire surrounded the mountain and for the third time Elijah thought that it was God. But God was not there either. When the fire disappeared and the noise stopped suddenly, silence fell. Elijah heard a quiet, gentle voice. God was whispering to him. Elijah realized that God did not have to do great things to prove that He was God. What God says is always important even if He is only whispering.

1. Who is speaking to Elijah?
2. How loudly did God speak to Elijah?
3. Do you know that God can be everywhere?

Co tu widzisz?
Czy na obrazku widać, że wieje wiatr? Po czym poznajesz, że było tu trzęsienie ziemi? Czy widzisz ogień? Czy Bóg był w tych wszystkich zjawiskach?

What can you see?
Can you see in the picture that the wind is blowing? How can you tell that there was an earthquake? Can you see the fire? Was God there in all these things?

Winnica Nabota
Pierwsza Księga Królewska 21

Spójrz, jaki wspaniały, purpurowy płaszcz ma król Achab. Król był nie tylko bogaty, ale także bardzo chciwy. W pobliżu jego pałacu znajdowała się winnica. Król zapragnął mieć tę winnicę, chociaż należała ona do Nabota. Człowiek ten nie posiadał nic więcej. Była to jedyna rzecz, jaką otrzymał od swojego ojca. Nie chciał jej sprzedać królowi, ani wymienić na nic innego. Gdy zła królowa dowiedziała się, że król jest smutny z tego powodu, wpadła w gniew. Wysłała ludzi, aby zabili Nabota. Potem jego winnicę przekazała mężowi., który ogląda ją właśnie z zadowoleniem. Ale spójrz, ktoś do niego przyszedł. To Eliasz. Zapowiada królowi, że poniesie on srogą karę za to, co uczynił. Król bardzo się zasmucił. Każdy z nas smuci się, gdy wie, że zostanie ukarany, prawda?

1. *Co Eliasz mówi królowi?*
2. *Dlaczego król ma być ukarany?*
3. *Czy ty boisz się kary?*

Naboth's Vineyard
1 Kings 21

Look at King Ahab's beautiful purple coat. The king was not only rich, but he was also greedy. Not far from his palace there was a vineyard. The king wanted to have the vineyard, although it belonged to Naboth. Naboth did not own anything else. It was the only thing he had gotten from his father. He did not want to sell it to the king nor exchange it for anything else. When the wicked queen learned why the king was sad, she flew into a rage. She sent people to kill Naboth. Then she gave the vineyard to her husband who is now seeing it with pleasure. But look! Someone has come to see him. It is Elijah. He is telling the king that he will be punished severely for what he did. The king became very sad. Everyone becomes sad when he learns that he will be punished, doesn't he?

1. *What is Elijah telling the king?*
2. *Why will the king be punished?*
3. *Are you afraid of punishment?*

Stary Testament

Co tu widzisz?
Czy myślisz, że to dobra winnica? Po czym to poznajesz?

What can you see?
Do you think it is a good vineyard? Why do you think so?

Historia o dwóch królach
Pierwsza Księga Królewska 22:1-40

a obrazku widzisz dwóch królów, którzy siedzą na swoich tronach. Jeden z nich to Achab. Drugi - to Jozafat. Ci dwaj królowie chcą wspólnie posłać swoje armie na wojnę. Są zdania, że postępują słusznie. Jozafat jest dobrym królem. Jednak nie powinien pomagać złemu królowi. Zanim rozpocznie się walka chce on jeszcze dowiedzieć się, jaka jest wola Boga. Dlatego prosi króla Achaba, by zapytać o to proroków Bożych. Mężowie, którzy przybyli, tylko udają proroków Bożych. Okłamują obu królów, mówiąc, że uda im się wygrać wojnę. „To nieprawda!" - mówi Micheasz. Widzisz go? On jest prorokiem Bożym. Królowie powinni go posłuchać. Lecz nie robią tego, chociaż król Achab dowiedział się, że zostanie zabity. I stało się tak, jak prorok powiedział.

1. Który z tych mężczyzn jest Micheaszem?
2. Co mówi królom?
3. Czy oni go posłuchali?

Story of Two Kings
1 Kings 22:1-40

In the picture you can see two kings sitting on their thrones. One of them is Ahab; the other - Jehoshaphat. These two kings plan to send their armies to war. They think they are doing what is right. Jehoshaphat is a good king so he should not help the wicked king. Before the battle begins he wants to learn God's will. So he asks King Ahab to ask God's prophets. The men who came only pretended they were God's prophets. They lied to both kings telling that they would win the war. „It is not true", says Micaiah. Can you see him? He truly is God's prophet. The kings should have listened to him. But they did not although Ahab learned that he would be killed. And it happened just as the prophet had said.

1. Where is Micaiah?
2. What is he telling the king?
3. Did they listen to him?

Co tu widzisz?
Jak postąpiłbyś na miejscu króla Achaba? Zostałbyś
w domu? Czy słuchałbyś proroków?

What can you see?
What would you do if you were King Ahab? Would you
stay home? Would you listen to the prophets?

Elizeusz służy Bogu
Druga Księga Królewska 2:1-18

Eliasz był prorokiem Bożym. Robił wiele wspaniałych rzeczy dla Boga. Gdy się zestarzał, nadszedł czas jego odejścia z tej ziemi. Bóg obiecał Eliaszowi, że zostanie on zabrany do nieba żywym. Eliasz miał do pomocy Elizeusza, który bardzo mu pomagał i nigdy go nie opuszczał. Był on uczniem Eliasza, który przekazał mu całą swoją wiedzę o Bogu i chciał go po sobie zostawić, jako swojego następcę. Elizeusz pragnął na własne oczy zobaczyć, jak Eliasz zostanie wniebowzięty, dlatego wszędzie mu towarzyszył. Pewnego dnia stało się to, co Bóg obiecał. Spójrz, co się dzieje z Eliaszem? Bóg zesłał trąbę powietrzną i ognisty rydwan, który uniósł go w górę. Elizeusz trzyma jeszcze płaszcz Eliasza. Teraz już wie, że będzie prowadził dalej pracę Eliasza dla Boga.

1. Który z tych mężczyzn jest Elizeuszem?
2. Co on będzie teraz robił?
3. W jaki sposób możesz służyć Bogu?

Elisha Serves God
2 Kings 2:1-18

Elijah was God's prophet. He did many wonderful things for God. When he grew old the time of his parting with this world came. God promised Elijah that he would be taken to heaven alive. Elisha was Elijah's helper. He was always with him; he never left him. He was Elijah's disciple and Elijah passed all his knowledge of God on to him. Elijah wished Elisha to become his successor. Elisha wanted to see Elijah being taken to heaven with his own eyes. One day the thing God had promised happened. See what is happening with Elijah? God sent a whirlwind and a chariot of fire which took him up. Elisha is still holding Elijah's coat. Now he knows that he will continue Elijah's work.

1. Which one of the men is Elisha?
2. What is he going to do now?
3. How can he serve God?

Co tu widzisz?

Widzisz te konie i wóz ognisty? Bóg je posłał. Mają one pomóc Eliaszowi dostać się do nieba. Widzisz płaszcz Eliasza, który trzyma Elizeusz? Elizeusz zatrzymał go dla siebie. Tego płaszcza będzie używał służąc Bogu.

What can you see?

Can you see the horses and the chariot of fire? God has sent them. They will take Elijah to heaven. Can you see Elisha holding Elijah's coat? Elisha will keep it. He will use it while serving God.

Naczynia na oliwę
Druga Księga Królewska 4:1-7

 a wdowa miała wielkie zmartwienie. Była winna pewnemu człowiekowi dużo pieniędzy. Gdy nie miała z czego oddać tego długu, zagroził on, że zabierze jej synów, aby byli jego niewolnikami. Zrozpaczona kobieta przybiegła do Elizeusza. Bóg podsunął prorokowi pewną myśl. Elizeusz poradził wdowie, aby pożyczyła od swoich sąsiadek mnóstwo dzbanków i zamknęła się z synami w domu. Potem polecił wziąć resztkę oliwy, którą miała w dzbanku i nalewać ją do wszystkich zgromadzonych naczyń. Kobieta zrobiła wszystko dokładnie tak, jak polecił jej prorok. I widzisz, co się stało? Oliwa lała się z małego dzbanuszka tak długo, aż wszystkie naczynia zostały napełnione. Kobieta mogła sprzedać oliwę i oddać dług. Bóg wspaniale jej pomógł i nie dopuścił do rozstania z synami.

1. *Jaki problem miała ta kobieta?*
2. *Co doradził jej Elizeusz?*
3. *Czy zdarzają ci się problemy?*

Jars for Olive Oil
2 Kings 4:1-7

This widow was in a big trouble. She owed a lot of money to a certain man. When she was not able to pay off the debt he threatened her that he would take her sons as slaves. The woman came to Elisha in despair. God gave Elisha an idea. Elisha told the widow to borrow empty jars from her neighbors, go inside the house with her sons and shut the door. Then she was to take what was left of her olive oil and poor it into the jars. The woman did exactly as the prophet had told her. And see what has happened! The oil from the little jug kept flowing until all the jars were filled. The woman could sell the oil and pay off the debt. God took care of her and she did not have to part with her sons.

1. *What was this woman's problem?*
2. *What did Elisha tell her to do?*
3. *Do you have problems sometimes?*

Co tu widzisz?

Ile dzbanów i garnków widzisz na obrazku? Co w nich jest? Skąd wzięła się w tych naczyniach oliwa?

What can you see?

How many jars and jugs can you see in the picture? What is there inside of them? Where has this oil come from?

Szczęśliwa rodzina
Druga Księga Królewska 4:18-37

a tym obrazku widzimy szczęśliwą rodzinę. Elizeusz często odwiedzał tych ludzi, gdy tylko przebywał w ich mieście. Po pewnym czasie otrzymał od gospodarzy własny pokój. W tej rodzinie było tylko jedno dziecko, mały chłopiec. Rodzice bardzo go kochali. Pewnego dnia zdarzyło się, że chłopiec przebywał z ojcem na polu. Nagle strasznie rozbolała go głowa. Zaniesiono chłopca do domu, lecz po kilku godzinach zmarł. Jakże smuciła się ta kobieta, patrząc na swojego zmarłego synka. Zamiast jednak usiąść i głośno płakać, pobiegła szukać Elizeusza. Prorok szybko pojawił się w ich domu. Wszedł do pokoju, w którym leżał martwy chłopiec. Zaczął się modlić do Boga o pomoc. I nagle chłopiec ożył! Spójrz, jacy oni są teraz szczęśliwi.

1. Który z tych mężczyzn jest Elizeuszem?
2. Kim są pozostałe osoby?
3. Co Bóg dla nich uczynił?

The Happy Family
2 Kings 4:18-37

We can see a happy family in this picture. Elisha stayed with them whenever he happened to be in the town. After some time they prepared a special room for him. There was only one child in the family, a little boy. His parents loved him very much. One day the boy was in the field with his father. Suddenly he got a severe headache. He was carried back home but he died after several hours. How sad this woman was looking at her dead son. But she did not just sit down and weep; she went to find Elisha. The prophet came to their house quickly. He entered the room where the dead boy lay. He prayed to God for help. And suddenly the boy came back to life! Look how happy they all are now!

1. Which one of the men is Elisha?
2. Who are the rest of the people?
3. What did God do for them?

Co tu widzisz?

Obejrzyj sobie dokładnie pokój w tym domu. Czy różni się od twojego pokoju? Czy chętnie byś tu mieszkał?

What can you see?

Look closely at the room in this house. How does it differ from your room? Would you like to live in such a room?

Uzdrowienie Naamana

Druga Księga Królewska 5: 1-14

aaman był generałem. Wydawał rozkazy wielu żołnierzom. Powinien być szczęśliwy, że jest tak ważnym człowiekiem. Jednak Naaman miał wielkie zmartwienie. Cierpiał na straszną chorobę. Ta choroba nazywała się trąd. Żaden lekarz nie mógł mu pomóc. Żona generała miała młodą służącą, która wierzyła w prawdziwego Boga i znała proroka Elizeusza. Dziewczynka opowiedziała swojemu panu o proroku. Naaman udał się do Elizeusza. Prorok obiecał, że podczas kąpieli w Jordanie Bóg oczyści generała z trądu. Naaman najpierw nie chciał tego uczynić, a potem jednak obmył się. Popatrz na niego! Bóg go uzdrowił. Naaman jest bardzo szczęśliwy. Szczęśliwa jest też jego żona. A mała dziewczynka, która powiedziała Naamanowi o Elizeuszu, ogromnie się cieszy.

1. Dlaczego Naaman jest taki szczęśliwy?
2. Co on zrobił?
3. Czy ktoś inny mógł pomóc Naamanowi?

The Healing of Naaman

2 Kings 5:1-14

Naaman was a general. He gave orders to many soldiers. He should be happy because he was such an important person. But Naaman had a serious problem. He had a terrible disease. It was called leprosy. No doctor could help him. The general's wife had a young servant girl who believed in the true God and knew of the prophet Elisha. She told her mistress about the prophet. Naaman went to see Elisha. The prophet promised him that if he washed in the Jordan River he would be healed of leprosy. At first Naaman did not want to do it but then he washed himself in the river. Look at him! God has healed him. Naaman is very happy now. His wife is also happy. And the little girl who told Naaman about Elisha is very glad, too.

1. Why is Naaman so happy?
2. What did he do?
3. Could anyone help Naaman?

Stary Testament

Co tu widzisz?
Czy Naaman i jego żona byli bogatymi ludźmi? Dlaczego tak sądzisz?

What can you see?
Were Naaman and his wife rich? Why do you think so?

Wojsko złożone z aniołów
Druga Księga Królewska 6: 8-17

zy możesz sobie wyobrazić wielkie wojsko złożone z aniołów? Co byś sobie pomyślał, gdyby to wojsko przybyło, aby Ci pomóc? Czy widzisz aniołów na obrazku? Mają konie i wozy. Elizeuszowi grozi wielkie niebezpieczeństwo ze strony złego króla. Jednak Bóg zesłał mu na pomoc anioły. Sługa Elizeusza bardzo się boi. Na razie nie widzi tego wojska. Ale Elizeusz prosi Boga, aby pozwolił młodemu człowiekowi zobaczyć anioły. Wyobraź sobie tylko, jak jest on teraz szczęśliwy. Wie, że nikt nie zrobi im krzywdy, bo będzie strzegło ich potężne wojsko. Zrozumiał, że Bóg opiekuje się swoimi ludźmi nawet wtedy, gdy oni o tym nie wiedzą.

1. Co widzisz na wzgórzu poza miastem?
2. Co tam robi to wojsko złożone z aniołów?
3. Czy często potrzebujesz pomocy?

The Army of Angels
2 Kings 6:8-17

Can you imagine a huge army of angels? What would you think if such an army came to help you? Can you see the angels in the picture? They have horses and chariots. Elisha is in big danger from a wicked king. But God sent angels to his rescue. Elisha's servant is terrified. He cannot see the army. But Elisha asks God to let the young man see the angels. Imagine how happy he is now. He knows that nobody can harm them because they are guarded by a mighty army. He realized that God was taking care of his people even though they did not know about it.

1. What can you see on the hill outside the city?
2. What is the army of angels doing there?
3. Do you need help often?

Stary Testament

Co tu widzisz?

Pokaż trzy rzeczy, których nie ma u ciebie w domu. Co te rzeczy mówią o Elizeuszu i o tym jak żył?

What can you see?

Point out three things in the picture which are not at your house. What do these things tell us about Elisha and how he lived?

Wrogowie Elizeusza
Druga Księga Królewska 6: 18-23

o jest Elizeusz. Prowadzi żołnierza, który jest niewidomy. Wszyscy żołnierze, którzy idą z tyłu, również są ślepi. To sam Bóg zesłał na nich ślepotę, bo przybyli skrzywdzić Elizeusza. Prorok zaprowadził ich do króla. Żołnierze byli zupełnie bezbronni. Król chciał ich zabić, lecz Elizeusz wstawił się za nimi. Dostali chleba i wody. Nic złego im się nie stało. Mogli bezpiecznie wrócić do swojego kraju. Bóg przywrócił im wzrok, a oni szczerze żałowali, że chcieli zrobić krzywdę Elizeuszowi.

1. Co ci mężczyźni chcieli zrobić Elizeuszowi?
2. W jaki sposób Bóg pokarał żołnierzy?
3. Jak zachował się wobec nich Elizeusz?

Elisha's Enemies
2 Kings 6:18-23

This is Elisha. He is leading a blind soldier. All the soldiers following them are blind too. God made them blind because they came to harm Elisha. The prophet led them to the king. The soldiers were totally helpless. The king wanted to kill them but Elisha pleaded for them. They were given bread and water. Nothing bad happened to them. They could return to their country safely. God restored their sight and they were truly sorry they wanted to harm Elisha.

1. What did these men want to do to Elisha?
2. How did God punish the soldiers?
3. What did Elisha do?

Co tu widzisz?
Czy widzisz na tym obrazku żołnierzy? Po czym poznajesz, że są żołnierzami?

What can you see?
Can you see the soldiers in this picture? How can you tell they are soldiers?

Mały król Joasz
Druga Księga Królewska 11

en młody chłopiec został królem, chociaż ma dopiero siedem lat. Nazywa się Joasz. Przez całe swoje młode życie musiał się on ukrywać w świątyni przed złą królową, która chciała go zabić. Joasz bardzo kochał Boga, o którym opowiadał mu kapłan. Bóg wybrał Joasza na króla. Odtąd wszyscy musieli go słuchać. Chociaż był jeszcze mały, rządził mądrze, bo miał dobrych pomocników i doradców. Gdy podrósł zatroszczył się o to, by naprawić uszkodzenia w świątyni. Niestety, gdy zmarł kapłan, który go wychowywał, Joasz zapomniał o Bogu. Jego lud zaczął oddawać cześć bożkom i sprzeciwiać się Bogu. Joasz pogrążył się w ciężkiej chorobie, a jego słudzy uknuli spisek i zabili go. Jakże to smutne, że Joasz odwrócił się od Boga.

1. Co tu się dzieje?
2. Czy chciałbyś być na miejscu tego chłopca?
3. Czy prosiłbyś Boga o pomoc?

Little King Joash
2 Kings 11

This young boy became a king though he was only seven years old. His name was Joash. All his life he had to hide in the temple because the wicked queen wanted to kill him. Joash loved God very much because the high priest told him about Him. God chose Joash to become the a king. From then on everybody had to obey him. Even though he was still a child he ruled wisely because he had good helpers and advisors. When he grew up he had the temple repaired. Unfortunately when the high priest who raised him up died, Joash forgot about God. His people began to worship idols and oppose God. Joash got seriously ill. His servants plotted against him and killed him. How sad that Joash turned away from God!

1. What is going on here?
2. Would you like to be in this boy's place?
3. Would you ask God for help?

Co tu widzisz?

Ten mężczyzna, który trzyma koronę, jest kapłanem. To on ukrywał Joasza aż do chwili, gdy chłopiec skończył siedem lat. Przyjrzyj się szacie kapłana. Taki strój musiał nosić stale. Ten budynek jest świątynią. Jest to Dom Boży.

What can you see?

The man holding the crown is the high priest. He hid Joash in the temple until he was seven. Look at the priest's garment. He had to wear a garment like this all the time. The building in back is the temple. It is the House of God.

Dary dla Domu Bożego

Druga Księga Królewska 12:1-16

Przez wiele lat ludzie nie zajmowali się Domem Bożym. Nawet w nim nie sprzątali. Było tam bardzo brudno i wszystko się waliło. Król Joasz nie był z tego zadowolony. Wiedział, że nie podoba się to Bogu. Król chciał, aby Dom Boży znowu był piękny. Dlatego rozkazał kapłanom, żeby zbierali pieniądze. Kapłani ustawili skrzynię przy drzwiach świątyni. I spójrz, co się dzieje. Ci ludzie wrzucają do skrzyni pieniądze. Każdy przynosi jakieś dary. Nawet dzieci przyniosły swoje pieniążki. One również chcą, aby Dom Boży został doprowadzony do porządku. Czy Ty też dałbyś pieniądze, gdybyś tam był?

1. *Co ludzie wrzucają do skrzyni?*
2. *Dlaczego to robią?*
3. *Czy podoba się to Bogu?*

Gifts for the House of God

2 Kings 12:1-16

For many years people did not take care of the House of God. They did not even clean it. It was very dirty inside and everything was falling apart. King Joash was not happy with it. He knew that God was not pleased either. The king wanted the House of God to look nice and tidy again. So he told the priests to collect money. The priests put a box at the temple's door. And look what is going on! These people are putting money into the box. Everyone brings a gift. Even children have brought their coins. They want the House of God to be cleaned up. Would you give money if you were there?

1. *What are these people putting into the box?*
2. *Why are they doing it?*
3. *Does it please God?*

Co tu widzisz?
Czy widzisz tu dzieci? Pokaż je. Czy widzisz ich matki?
Co tu się dzieje?

What can you see?
Can you see the children? Point them out. Can you see
their mothers? What is going on here?

Zrozpaczony król Ezechiasz
Druga Księga Królewska 19

en człowiek zupełnie nie wygląda na króla. A jednak jest to król. Na imię ma Ezechiasz. Jest on dobrym królem. Miłuje Boga i wypełnia wszystkie Jego przykazania. Król ma w tej chwili wielkie zmartwienie. Tysiące wrogich żołnierzy weszło do jego kraju. Chcą go zdobyć. Ezechiasz nie ma aż tylu żołnierzy, aby z nimi walczyć. Cóż więc ma zrobić? Kto mu pomoże? Ezechiasz wie, że może ufać tylko Bogu. Tylko On może mu pomóc. Król idzie do świątyni. Wyjmuje list od swojego wroga i rozkłada na podłodze. Potem modli się. Prosi Boga o pomoc. I wiesz, co się potem stało? Bóg posłał swojego anioła, który zwyciężył wielotysięczne wojsko nieprzyjaciela. Ezechiasz już wiedział, że Bóg jest potężniejszy od każdego wroga. Ty także pamiętaj o tym, modląc się.

1. Co Ezechiasz tu robi?
2. Czy Bóg mu pomoże?
3. Czy często prosisz Boga o pomoc?

Troubled King Hezekiah
2 Kings 19

This man does not look like a king at all. But he is the king. His name is Hezekiah. He is a good king. He loves God and obeys all His commandments. The king is greatly troubled at the moment. Thousands of enemies have invaded his land. They want to conquer it. Hezekiah does not have enough soldiers to fight against them. So what should he do? Who is going to help him? Hezekiah knows that he can trust God. Only He can help him. The king goes to the temple. He opens the letter from his enemy and lays it on the ground. Then he prays. He asks God for help. And do you know what happened next? God sent His angel who overcame the army of the enemy. Hezekiah knew that God was mightier than any enemy. Remember about that when you pray.

1. What is Hezekiah doing here?
2. Will God help him?
3. Do you ask God for help often?

Co tu widzisz?

Spójrz, jak król jest ubrany. Ma na sobie wór z szorstkiego materiału. Ludzie nakładali takie wory, gdy chcieli pokazać Bogu, że są smutni i potrzebują Jego pomocy. Przyjrzyj się temu pomieszczeniu. Jest to świątynia, Dom Boży.

What can you see?

Look at the king. He is wearing a sack made of rough fabric. People would put such sacks on when they wanted to show God that they were sad and needed His help. Look at this room. This is the temple, the House of God.

Odnalezione Słowo Boże

Druga Księga Królewska 22:1-23:3

Mężczyzna siedzący na tronie, to Jozjasz. Pragnął on być dobrym królem. Nie chciał być podobny do swojego ojca, który nie kochał Boga i dopuścił do tego, aby Dom Boży stał zaniedbany i brudny. Jozjasz zapragnął doprowadzić świątynię do porządku. Ludzie zaczęli remontować i sprzątać Dom Boży. Pewnego dnia znaleźli podczas tej pracy jakiś zwój papieru. Było to spisane Słowo Boże. Tu, na obrazku, uczony mąż czyta królowi to, co było tam napisane. Król Jozjasz wysłuchał wszystkiego i bardzo się zasmucił. Zrozumiał, że jego lud nie wykonywał Bożych poleceń. Król zawołał wszystkich do świątyni. Przeczytał ludziom Słowo Boże. Napomniał swój lud i zobowiązał do przestrzegania przykazań. Jozjasz był wierny Bogu do końca swojego życia.

1. Czy Jozjasz był dobrym królem ?
2. Czy dobrze zrobił napominając swój lud?
3. Czy robisz to, co nakazuje Bóg?

The Word of God Found

2 Kings 22:1-23:3

The man sitting on the throne is Josiah. He wanted to be a good king. He did not want to be like his father who did not love God and let the House of God be neglected and dirty. Josiah wanted to tidy up the temple. People began to renovate and clean the House of God. One day when they were working, they found a scroll. It was the written Word of God. In the picture this learned man is reading to the king what was written there. King Josiah listened carefully and got very sad. He realized that his people were not obeying God's commandments. The king summoned everybody to the temple. He read the Word of God to the people. He rebuked the people and told them to obey God's commandments. Josiah was faithful to God till the end of his life.

1. Was Josiah a good king?
2. Was he right to rebuke his people?
3. Do you do what God commands?

Co tu widzisz?
Widzisz tego mężczyznę, który czyta królowi Słowo Boże? Trzyma on w rękach zwój papieru. .Na tym zwoju napisane jest Słowo Boże. Widzisz te dwie rolki po obu stronach zwoju?

What can you see?
Can you see the man reading the Word of God to the king? He is holding a scroll in his hands. God's Word is written on the scroll. Can you see two rolls at both sides of the scroll?

Daleka podróż
Księga Ezdrasza 7-8

Ludzie wyruszyli w daleką drogę. Nie podróżują samochodami, ani pociągami, ani samolotami. Tego wszystkiego jeszcze wtedy nie było. Ludzie muszą iść cały czas pieszo, pokonując skaliste góry i głębokie doliny. Słońce świeci bardzo mocno. Po drodze mogą spotkać rozbójników, którzy ich obrabują, albo nawet zabiją. Ale popatrz - co oni robią? Proszą Boga, aby wyruszył z nimi w podróż. Kapłan Ezdrasz klęka nad rzeką i prosi Boga, aby poszedł razem z nimi. Wszyscy potrzebują Bożej pomocy. Wiedzą, że sami nie są w stanie zapewnić sobie bezpieczeństwa. Jak myślisz, czy Bóg im pomoże?

1. Co robią ci ludzie?
2. Czy prosisz Boga o błogosławieństwo?
3. Czy będziesz pamiętał o tym przed podróżą?

A Distant Journey
Ezra 7-8

The people set out on a long journey. They did not travel by cars, or trains, or planes. They did not have any of these things yet. They had to walk through the rocky mountains and deep valleys. The sun was blazing. It was hot. They could meet robbers who would rob them or even kill them. But look what they are doing! They are praying to God to be with them during their journey. Priest Ezra kneels down at the river and asks that God will be with them. They all need God's help. They know they cannot protect themselves. Do you think God will help them?

1. What are these people doing?
2. Do you ask God for His blessings?
3. Do you remember to pray before a trip?

Co tu widzisz?
Widzisz te namioty? Ludzie chcą tu zostać przez trzy dni. Nie śpieszą się. Chcą mieć pewność, że Bóg jest z nimi.

What can you see?
Can you see these tents? People plan to stay here for three days. They are not in a hurry. They want to be sure that God is with them.

Modlitwa Nechemiasza

Księga Nehemiasza 1:1-2:10

ehemiasz modli się. Jest smutny, bo usłyszał złą nowinę. Ci mężowie, którzy są u niego, przybyli właśnie z Jerozolimy. A rodzina Nehemiasza mieszkała tam przed laty. Teraz mury Jerozolimy są zburzone, a całe miasto spalone i zniszczone. Nehemiasz bardzo tym się martwi. Dlatego prosi Boga, aby pozwolił mu wyruszyć do Jerozolimy. Prosi też o to, aby udało mu się odbudować miasto. Nehemiasz kocha swój kraj i chce coś dla niego zrobić. Jak zaplanował, tak też uczynił. Wyruszył do Jerozolimy. Zebrał ludzi i potrzebne pieniądze. Rozpoczął odbudowę miasta, a Bóg pomagał mu we wszystkim.

1. Co robi Nehemiasz?
2. O co prosi Boga?
3. Czy modliłeś się już kiedyś za swój kraj?

Nehemiah's Prayer

Nehemiah 1:1-2:10

Nehemiah is praying. He is sad because he received bad news. These men have just come from Jerusalem. This is where Nehemiah's family used to live many years ago. Now the walls of Jerusalem are torn down and the city is burned down and destroyed. Nehemiah is worried. So he asks God to let him go to Jerusalem. He also asks to be able to rebuild the city. Nehemiah loves his land and wants to do something for it. And he did as he planned. He went to Jerusalem. He gathered the people and the money. He started rebuilding the city and God helped him in everything.

1. What is Nehemiah doing?
2. What is he asking God for?
3. Have you ever prayed for your country?

Co tu widzisz?
Czy ci ludzie są smutni, czy weseli? Czy widać po nich,
że rozmawiają o ważnych sprawach? Po czym można to
poznać?

What can you see?
Are these people glad or sad? Can you tell that they are
discussing serious matters? How can you tell?

Budowa muru
Księga Nehemiasza 2:17-7:3

Budowanie muru jest ciężką pracą. Spójrz, jak trudzi się Nehemiasz i jego przyjaciele! Jednak nie widać na ich twarzach zmęczenia. Są szczęśliwi, że mogą pracować. Kochają swoje miasto - Jerozolimę. Chcą, aby była ona znowu otoczona murem. Ten mur powstrzyma atak nieprzyjaciół. Wrogowie są źli, że ten mur jest budowany. Nie lubią Nehemiasza i jego przyjaciół. Chcą im zrobić krzywdę, aby nie mogli dokończyć odbudowy muru. Jednak Nehemiasz nie boi się. Wie, że Bóg jest potężny i im pomoże. Nehemiasz miał słuszność. Bóg dopomógł jemu i jego przyjaciołom. Pomógł im wybudować mur. Po pięćdziesięciu dwóch dniach praca została ukończona. Wszyscy wrogowie mogli zobaczyć, jak bardzo potężny jest Bóg, który pomoże każdemu, kto Go o to prosi.

1. *Co robi Nehemiasz razem z przyjaciółmi?*
2. *Kto im przy tym pomaga?*
3. *Czy praca została ukończona?*

The Construction of the Wall
Nehemiah 2:17-7:3

Building a wall is a hard work. Look how Nehemiah and his friends are toiling. But there are no signs of tiredness in their faces. They are happy that they can work. They love their city Jerusalem. They want it to be surrounded with walls. The walls will protect them from the attacks of the enemy. The enemies are not glad that the wall is being rebuilt. They do not like Nehemiah and his friends. They want to harm them so that they will not be able to finish the wall. But Nehemiah is not afraid. He knows that God is powerful and He will help them. Nehemiah was right. God helped him and his friends. He helped them to rebuild the wall. After fifty-two days the work was finished. All the enemies could see how powerful God is. He will help everyone who asks Him.

1. *What are Nehemiah and his friends doing?*
2. *Who is helping them?*
3. *Was the work finished?*

Co tu widzisz?
Co tu się dzieje? Czy widziałeś już kiedyś takie narzędzia na budowie?

What can you see?
What is going on here? Have you ever seen such tools at a building site?

Czytanie Słowa Bożego

Księga Nehemiasza 8:1-12

 zdrasz czyta ludziom Słowo Boże. Księga, którą trzyma, wygląda inaczej niż twoja Biblia. Kapłan stoi na drewnianym podwyższeniu, aby było go dobrze widać i słychać. Ezdrasz czytał i po chwili objaśniał znaczenie Słowa Bożego. Mówił ludziom, czego Bóg od nich żąda. Cały lud pilnie wsłuchiwał się w jego słowa. Po chwili niektórzy zaczęli płakać. Byli smutni, bo zrozumieli, że nie postępują tak, jak chciał Bóg. Lecz Ezdrasz pocieszył cały lud. Nakazał im wrócić do domów, jeść i pić, i cieszyć się tym, co dał Bóg. Dobrze jeśli i my pomyślimy czasem o tym, co Bóg dla nas uczynił. Niekiedy jesteśmy smutni, że nie zrobiliśmy czegoś, co należało zrobić. I wtedy jest okazja, by podziękować Bogu za wszystkie błogosławieństwa, które nam zsyła każdego dnia.

1. Co czyta Ezdrasz?
2. Dlaczego niektórzy ludzie są smutni?
3. Czy twoje postępowanie podoba się Bogu?

Reading the Word of God

Nehemiah 8:1-12

Ezra is reading the Word of God to the people. The book he is holding does not look like your Bible. The priest is standing on a wooden platform so the people can see him and hear him well. Ezra read and explained the meaning of the Word of God. He told the people what God demanded of them. All the people listened attentively to him. Then some of them started crying. They were sad because they realized they did not obey God's laws. But Ezra comforted the people. He told them to go home, eat and drink and enjoy what God gave them. It is good from time to time to think about what God has done for us. Sometimes we are sad because we have not done what we should have done. Then we can thank God for all the blessings He sends for us every day.

1. What is Ezra reading?
2. Why are some people sad?
3. Does your life please God?

Co tu widzisz?

Czy ksiądz czytający w twoim kościele Słowo Boże wygląda tak samo? Opowiedz co tu wygląda inaczej.

What can you see?

Does the priest reading the Word of God at your church look like this? What is different?

Odważna królowa
Księga Estery 2-8

en król siedzący na tronie miał piękną żonę Esterę. W tamtych czasach królowej nie wolno było pokazywać się przed obliczem króla, jeżeli on jej nie wezwał. Król mógł ją nawet zabić za to, że przyszła nie wezwana. Dlaczego więc Estera to zrobiła? Królowa ma do powiedzenia coś bardzo ważnego. Jej ludowi groziło wielkie niebezpieczeństwo. Wszyscy, razem z Esterą mieli zostać zabici. Estera zrozumiała, że to sam Bóg wybrał ją na królową, by mogła uratować swój lud. Nie mogła czekać, aż król ją wezwie. Modliła się i prosiła Boga o pomoc, a potem poszła do króla. Powiedziała mu o wszystkich problemach, o tym, co ją przeraża. Król kochał Esterę, więc nie pozwolił, aby źli ludzie skrzywdzili królową, jej rodzinę i przyjaciół. Estera, ufając Bogu, ocaliła swój lud.

1. Dlaczego królowa Estera przyszła do króla?
2. Czy wymagało to odwagi?
3. Czy król wysłuchał jej prośby?

A Bold Queen
Esther 2-8

The king sitting on the throne had a beautiful wife, Esther. In those days the queen was not allowed to come and see the king if he did not call her first. The king could even kill her if she came unsommoned. So why did Esther come? The queen has something very important to tell the king. Her people were in great danger. All of them, including Esther, were to be killed. Esther realized that it was God who made her queen to save her people. She could not wait until the king invited her to come. She prayed and asked God for help and then she went to the king. She told him about all her problems and fears. The king loved Esther so he did not allow wicked people to harm her, her family or her friends. Esther trusted God. And God saved her people.

1. Why did Queen Esther come to the king?
2. Did she need courage to do it?
3. Did the king answer her request?

Co tu widzisz?
Jakie kolory widzisz w tej komnacie? Nazwij kilka z nich.
Czy chciałbyś tam mieszkać?

What can you see?
What colors can you see in this room? Name some of
them. Would you like to live in such a place?

Prorok Izajasz
Księga Izajasza 6

ężczyzna, który się modli to prorok Izajasz. Był to młodzieniec ze szlacheckiego rodu, który kochał Boga i był Mu posłuszny. Pewnego dnia Izajasz modlił się w świątyni. Martwił się o przyszłość swojego narodu. Podczas modlitwy miał niezwykłą wizję. Zobaczył Boga otoczonego wspaniałym światłem. W całej świątyni można było odczuć Bożą chwałę. Izajasz poczuł się zawstydzony i grzeszny. Nagle przyleciał do niego anioł i dotknął ust młodzieńca. Izajasz został oczyszczony. Wtedy odezwał się Bóg. Zlecił Izajaszowi wypełnienie szczególnej misji. Misja ta była trudna i niewdzięczna. Ludzie nie chcieli słuchać proroka, choć ostrzegał ich przed karą, którą ześle na nich Bóg. Izajasz robił to, czego Bóg od niego oczekiwał.

1. Kogo zobaczył Izajasz?
2. Jakie zadanie zlecił Bóg Izajaszowi?
3. Czy chętnie posłuchałbyś słów Izajasza?

Prophet Isaiah
Isaiah 6

This man who is praying is the prophet Isaiah. He was a young man of noble family who loved God and obeyed Him. One day Isaiah was praying in the temple. He was worried about the future of his people. During the prayer he had an unusual vision. He saw God surrounded with glorious light. God's glory filled the temple. Isaiah felt unclean and sinful. Then an angel came to him and touched his lips. Thus he was cleansed. Then God spoke. He sent Isaiah to fulfill a special mission. It was a difficult and demanding mission. People did not want to listen to the prophet even though he warned them of the punishment God was going to send on them. Isaiah fulfilled what God had entrusted to him.

1. Whom did Isaiah see?
2. What task did God give Isaiah?
3. Would you listen to Isaiah's words?

Co tu widzisz?
Izajasz klęczy w Domu Bożym. Widzisz tę światłość? Izajasz przyrzeka Bogu, że zrobi to, czego Bóg od niego żąda. Izajasz żył wiele lat przed przyjściem na świat Jezusa. Ale w swojej Księdze napisał, w jaki sposób Jezus zostanie naszym Zbawicielem.

What can you see?
Isaiah is kneeling in the House of God. Can you see the light? Isaiah has promised God to do what He wanted him to do. Isaiah lived many years before Christ was born but in his book he wrote about our Saviour, Jesus.

Prorok Jeremiasz
Księga Jeremiasza 36

Czy widzisz tego mężczyznę, który trzyma zwój papieru? To prorok Jeremiasz. Bóg posłał go do swojego narodu, gdyż ludzie znowu źle postępowali. Przez dwadzieścia lat Jeremiasz ostrzegał przed nadchodzącą karą. Wreszcie Bóg podyktował prorokowi słowa, które miały być zapisane na zwoju papieru i przekazane królowi. Były to słowa, które bardzo nie spodobały się królowi. Władca wpadł w straszny gniew. Pociął nożem cały zwój na drobne kawałki. Popatrz- wrzuca je do ognia i pali, kawałek po kawałku. Nie chce słuchać Bożego Słowa. Ale król nie mógł przeszkodzić Bogu! Jeremiasz jeszcze raz spisał to, co Bóg mu przekazał. Ten drugi zwój nie został spalony przez króla. Dlatego także dzisiaj możesz przeczytać to, co powiedział Bóg.

1. Co robi król?
2. Dlaczego pali ten zwój?
3. Czy cieszysz się, że Jeremiasz posłuchał Boga?

Prophet Jeremiah
Jeremiah 36

Can you see the man who is holding a scroll? This is the prophet Jeremiah. God sent him to His people because they were doing wrong. For twenty years Jeremiah warned the people of the coming judgment. Finally God dictated to Jeremiah the words he was to write in a scroll and give to the king. The king did not like the words at all. He got mad. With a knife he cut the scroll into small pieces. Look - now he is throwing them into the fire, piece by piece. He does not want to obey God. But the king could not stop God! Jeremiah wrote down again what God had told him. The second scroll was not burned by the king. And today we can read what God said to Jeremiah.

1. What is the king doing?
2. Why is he burning the scroll?
3. Are you glad that Jeremiah obeyed God?

Co tu widzisz?

Widzisz ten ogień na palenisku? Za czasów Jeremiasza w domach i pałacach nie było jeszcze pieców. Ogrzewano pokoje w taki sposób, jaki widzisz na obrazku.

What can you see?

Can you see the fire in the fireplace? In the days of Jeremiah there were no stoves in homes or palaces. The rooms were heated the way you see in the picture.

Daniel
Księga Daniela 1

a obrazku widzisz Daniela i jego przyjaciół. Przebywają oni w pałacu króla Babilonu. Królewski sługa stawia na stole wspaniałe potrawy. Jest to najlepsze jedzenie w całym kraju. Ale Daniel i jego przyjaciele nie chcą tego jeść. Młodzieńcy wiedzieli, że to jedzenie pochodzi z królewskiego stołu. Wiedzieli też o tym, że król zanim zacznie jeść, dziękuje za nie bożkom, a nie prawdziwemu Bogu. Dlatego woleli jeść warzywa i pić wodę niż czynić to, co nie podobało się Bogu. Po dziesięciu dniach próby wyglądali lepiej i zdrowiej niż pozostali chłopcy. Czy Ty również potrafisz odmówić komuś, kto namawia Cię do zrobienia tego, co może zasmucić Boga?

1. *Gdzie przebywa Daniel i jego przyjaciele?*
2. *Dlaczego nie chcą jeść smacznych potraw?*
3. *Czy potrafisz zrezygnować ze złych rzeczy?*

Daniel
Daniel 1

In the picture you can see Daniel and his friends. They live in the palace of the king of Babylon. One of the king's servants is putting wonderful dishes on the table. This is the best food in the whole country. But Daniel and his friends do not want to eat it. These young men knew that the food came from the king's table. They knew also that the king had thanked the idols and not the true, God for the food before he ate. So they preferred to eat vegetables and drink water instead of doing things God did not like. After ten days of a test they looked better and healthier then the rest of the boys. Would you be able to refuse to do something bad even if someone was encouraging you to do it if you knew that it would displease God?

1. *Where are Daniel and his friends?*
2. *Why do they refuse to eat these tasty dishes?*
3. *Are you able to give up bad things?*

Co tu widzisz?

Czy widzisz naczynia z jedzeniem, stojące na stole? Kto przynosi te potrawy? Który z tych chłopców jest Danielem? Wskaż jego przyjaciół.

What can you see?

Can you see the dishes on the table? Who is bringing the food in? Which one of the boys is Daniel? Point out his friends, too.

Trzej przyjaciele Daniela
Księga Daniela 3

rzej przyjaciele Daniela nie bali się niczego. Ufali Bogu i byli Mu posłuszni. Dlatego odmówili, kiedy kazano im oddać cześć złotemu posągowi. Wiedzieli, że czeka ich za to okrutna śmierć w rozpalonym piecu. Pomimo tego, nie okazali lęku przed gniewem króla. Za karę zostali wrzuceni do ognia. Żar był tak ogromny, że spalił ludzi wrzucających trzech przyjaciół do pieca. Ale spójrz, jest z nimi ktoś jeszcze. Zdziwiony król podszedł do pieca i nie mógł uwierzyć własnym oczom. Zobaczył czterech mężczyzn zamiast trzech, spokojnie spacerujących pośród płomieni. Ogień nie robił im żadnej krzywdy i nie powodował bólu. Bóg zesłał im do pomocy anioła, który odgarniał od nich płomienie. Gdy król to zobaczył, uwolnił młodzieńców i uznał wielkość ich Boga.

1. Dlaczego przyjaciele znaleźli się w piecu?
2. Kto przyszedł im z pomocą?
3. Czy prosisz Boga o pomoc?

Three Friends of Daniel
Daniel 3

Three friends of Daniel were not afraid of anything. They trusted God and obeyed Him. So they refused to bow down before a golden statue. They knew they would die a terrible death in a blazing furnace. But they were not afraid of the king's wrath. So they were thrown into the blazing furnace. The heat was so great that it burned up the people who threw them into the fire. But look, there is someone else in the fire! The surprised king came closer to the furnace. He could not believe his eyes. He saw four men instead of three. They were calmly walking in the flames! The fire did not harm them. They did not feel any pain. God sent an angel to protect them and keep the flames away from them. When the king saw it, he released the young men and recognized the greatness of their God.

1. Why were the friends thrown into the furnace?
2. Who came to their rescue?
3. Do you ask God for help?

Co tu widzisz?
Spójrz na ziemię przed piecem. Czy widzisz, że leżą tam ludzie? Piec był tak rozpalony, że umarli z gorąca. A teraz popatrz na przyjaciół Daniela. Dlaczego nie stało im się nic złego?

What can you see?
Look at the ground in front of the furnace. Can you see some people lying there? The heat was so strong that it killed them. And now look at Daniel's friends. Why weren't they harmed?

List do króla
Księga Daniela 5

en król jest bardzo przerażony. Podczas pijackiej uczty wydarzyło się coś dziwnego. Na ścianie pałacu pojawiła się ręka, pisząca niezrozumiałe słowa. Król nie wiedział, co one oznaczają. Nie wiedzieli tego także nadworni mędrcy króla. Tylko Daniel potrafił wyjaśnić znaczenie tych słów. Przekazał władcy wiadomość od Boga. Król dowiedział się, że jego królestwo zmierza ku upadkowi, a on sam nie podoba się Bogu. Dlatego jego królestwo zostanie podzielone. Jak powiedział Daniel, tak się stało. Jeszcze tej samej nocy król został zabity, a na tronie zasiadł inny władca.

1. O czym Daniel mówi królowi?
2. Czy te słowa zrobiły wrażenie na królu?
3. Jak byś postąpił na miejscu tego króla?

A Letter to the King
Daniel 5

The king is terrified. During their drunken party something strange happened. Suddenly a hand appeared and wrote unknown words on the wall. The king did not know what the words meant. The wise men in his palace did not know the meaning either. Only Daniel was able to explain the meaning of the words. He told the king God's message for him. The king learned that his kingdom was going to fall and that he was not pleasing to God. So his kingdom would be divided. And it happened just as Daniel had said. The same night the king was killed and another ruler sat on his throne.

1. What is Daniel telling the king?
2. Did the words impress the king?
3. What would you do if you were the king?

Co tu widzisz?
Odbywa się tu wielkie przyjęcie. Po czym możesz to poznać?
Czy widzisz tu Daniela?

What can you see?
There is a big party going on. How can you tell? Can you see
Daniel here?

Daniel w lwiej jamie

Księga Daniela 6

Co robi Daniel w jaskini pełnej lwów? Zanim się tam znalazł był przyjacielem króla Dariusza. Wrogowie Daniela zazdrościli mu wszystkich zaszczytów, których dostąpił. Uknuli przeciwko niemu spisek. Przekonali króla, aby wydał dekret zabraniający modlitw do innego boga niż Dariusz. Doskonale wiedzieli, że Daniel modli się tylko do prawdziwego Boga. Podstęp się udał. Daniela czekała śmierć w jaskini lwów. Król Dariusz bardzo się zmartwił, że podpisał taki rozkaz, ale nie mógł nic uczynić. Bardzo lubił Daniela, dlatego był pogrążony w smutku i nie spał całą noc. O świcie pobiegł do lwiej jamy. Ze zdziwieniem ujrzał Daniela żywego, siedzącego wśród lwów, które były łagodne jak baranki. Bóg zamknął paszcze lwów i ocalił swojego wiernego przyjaciela Daniela.

1. Gdzie znajduje się Daniel?
2. Kto uchronił Daniela od śmierci?
3. Czy prosiłeś Boga by cię strzegł?

Daniel in the Den of Lions

Daniel 6

What is Daniel doing in this den full of lions? Before he had gotten there he was King Darius' friend. His enemies were envious of all his honors. So they schemed against him. They convinced the king to make a law forbidding anyone to pray to any other god than Darius. They knew that Daniel prayed only to the true God. The trick was successful. Daniel was to be thrown into the lion's den. King Darius was very sad that he had made such a law but he could do nothing. He liked Daniel very much so he could not sleep all night. Early in the morning he ran to the lion's den. He was surprised to find Daniel well and alive, standing among the lions which were as meek as lambs. God shut the mouths of the lions and saved His faithful servant, Daniel.

1. Where is Daniel?
2. Who saved Daniel from death?
3. Have you asked God to protect you?

Stary Testament

Co tu widzisz?

Ile lwów tu widzisz? Spójrz na ich paszcze. Czy możesz policzyć, ile zębów mają te lwy? Dlaczego nie?

What can you see?

How many lions can you see? Look at their mouths. Can you count how many teeth they have? Why not?

Ucieczka Jonasza

Księga Jonasza 1-3

Człowiek, którego widzisz to prorok Jonasz. Nie chce on wypełnić Bożego polecenia. Zamiast udać się do miasta zwanego Niniwą, wsiada na statek, aby popłynąć w odwrotnym kierunku. Bóg chciał, aby Jonasz ostrzegł mieszkańców Niniwy przed okrutną karą, którą czekało to miasto. Nie wiedział jednak, że przed Bogiem nie można uciec. Gdy statek wypłynął na pełne morze, rozpętała się straszna burza. Jonasz znalazł się w wodzie. Nie utonął, ponieważ podpłynęła do niego olbrzymia ryba i połknęła go. Prorok znalazł się w jej brzuchu. W zupełnych ciemnościach siedział przez trzy dni. Gdy zrozumiał swój błąd, ryba wypluła go na brzeg. Jonasz wyruszył prosto do Niniwy. Przekazał mieszkańcom Boże ostrzeżenie i uratował ich przed karą.

1. *Co Bóg powiedział Jonaszowi?*
2. *Co Jonasz zrobił?*
3. *Czy można uciec przed Bogiem?*

The Escape of Jonah

Jonah 1-3

The man you see in the picture is Jonah. He does not want to do what God told him. Instead of going to a city called Niniveh, he is boarding a ship to go in the opposite direction. God wanted Jonah to warn the inhabitants of Niniveh of the severe punishment awaiting the city. Jonah did not know that you could not escape from God. When the ship was on the sea, a terrible storm broke out. Jonah was thrown out into the sea. But he did not drown because a big fish swallowed him. The prophet spent three days and nights in darkness in the belly of the fish. When Jonah realized he had done wrong, the fish spit him out on the land. Jonah went straight to Niniveh. He warned the inhabitants of the city and saved them from the punishment.

1. *What did God tell Jonah?*
2. *What did Jonah do?*
3. *Can you flee from God?*

Co tu widzisz?

Pokaż różne przedmioty na obrazku. Widzisz te pieniądze? Ludzie płacili właścicielowi statku za przejazd. A gdzie jest żagiel?

What can you see?

Point out different objects in the picture. Can you see the money? People paid the owner of the ship for the journey. And where is the sail?

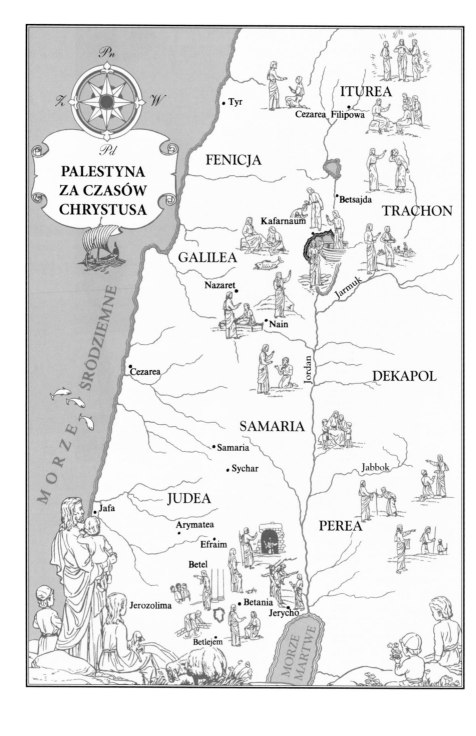

PALESTYNA
ZA CZASÓW
CHRYSTUSA

Pn
Z
W
Pd

MORZE ŚRÓDZIEMNE

Tyr

FENICJA

Cezarea Filipowa

ITUREA

TRACHON

Betsajda

Kafarnaum

GALILEA

Nazaret

Nain

Jarmuk

Jordan

DEKAPOL

Cezarea

SAMARIA

Samaria

Sychar

Jabbok

JUDEA

Jafa

Arymatea

Efraim

PEREA

Betel

Jerozolima

Betania

Jerycho

Betlejem

MORZE MARTWE

Nowy Testament

New Testament

Zwiastowanie

Ewang. wg św. Łukasza 1:26-38

pójrz na ten obrazek. Oto Maryja, młoda i skromna dziewczyna z Nazaretu klęczy przed aniołem Gabrielem. Bóg posłał go na ziemię, aby przekazał jej cudowną nowinę. Maryja została wybrana przez Boga. Będzie matką Zbawiciela, któremu da na imię Jezus. Będzie On Synem Boga. Cóż Maryja może na to odpowiedzieć? Jest tak szczęśliwa, jak żadna kobieta na świecie. Kocha Boga i ufa mu bezgranicznie. Cieszy się, że Bóg wyśle swojego Syna na ziemię, aby zbawił wszystkich ludzi.

1. Kto ukazał się Maryi?
2. Jaką nowinę przekazał Maryi anioł?
3. Czy ty też chętnie słuchasz dobrych wiadomości?

The Annunciation

Luke 1:26-38

Look at this picture. Mary, a young and modest girl from Nazareth, is kneeling in front of the angel Gabriel. God sent him to earth to announce wonderful news. Mary had been chosen by God. She would become the mother of the Saviour. His name would be Jesus. He would be the Son of God. What can Mary say? She is happier than any other woman in the whole world has ever been. She loves God and trusts Him with all her heart. She is glad that God will send His Son to the world to save all the people.

1. Who appeared to Mary?
2. What good news did the angel tell Mary?
3. Do you like to listen to good news too?

Co tu widzisz?
Na kogo patrzy Maryja? Czy Maryja jest zaskoczona wizytą anioła? Czy jest szczęśliwa?

What can you see?
Who is Mary looking at? Is Mary surprised by the angel's visit? Is she happy?

Maryja odwiedza Elżbietę

Ewang. wg św. Łukasza 1:39-56

 aryja była tak przepełniona radością, że nie mogła zatrzymać jej tylko dla siebie. Postanowiła odwiedzić swoją kuzynkę, Elżbietę, aby podzielić się z nią swoim szczęściem. Elżbieta już wiedziała, że Maryja zostanie matką Zbawiciela. Ona także miała swoją tajemnicę. Chociaż była już stara, spodziewała się dziecka. To, o czym marzyła przez całe życie miało się spełnić. Jej syn miał być niezwykłym człowiekiem. Został wybrany przez Boga do specjalnej misji. Miał zwiastować nadejście Zbawiciela. Maryja cieszyła się razem z Elżbietą. Została u niej przez trzy miesiące. Czy możesz sobie wyobrazić, jak bardzo były szczęśliwe, że mogą rozmawiać o swoich dzieciach, których obie oczekiwały?

1. *Kogo odwiedziła Maryja?*
2. *Jaką tajemnicę miała Elżbieta?*
3. *O czym obie rozmawiały?*

Mary Visits Elizabeth

Luke 1:39-56

 Mary was so excited that she could not keep the good news just to herself. She decided to visit her cousin, Elizabeth, and share her joy with her. Elizabeth knew already that Mary would be the Saviour's mother. She also had her own secret. Even though she was old, she was expecting a baby too. What she had dreamed about all her life was to come true. Her son was to become an unusual man. He had been chosen by God to fulfill an extraordinary mission. He was to announce the coming of the Saviour. Mary rejoiced with Elizabeth. She stayed with her for three months. Can you imagine how happy they were, talking about the children they were expecting?

1. *Whom did Mary visit?*
2. *What was Elizabeth's secret?*
3. *What were they talking about?*

Co tu widzisz?
Jak myślisz, co Elżbieta mówi Maryi? Czym ten dom różni się od twojego domu?

What can you see?
What do you think Elizabeth is telling Mary? Is this house different from your house?

Narodzenie Jana

Ewang. wg św. Łukasza 1: 57-80

Mąż Elżbiety, Zachariasz, był kapłanem w świątyni. Pewnego dnia podczas służby, ukazał mu się anioł Gabriel. Zachariasz dowiedział się, że jego modlitwy zostały wysłuchane i Elżbieta urodzi syna, który będzie miał na imię Jan. Kapłan nie mógł w to uwierzyć, dlatego stał się niemy, aż do czasu narodzin dziecka. To było dziewięć miesięcy temu. Teraz szczęśliwa Elżbieta trzyma w ramionach swojego syna. Właśnie przybyli krewni i sąsiedzi, aby nadać imię dziecku. Wszyscy wiedzieli, że musi to być imię po ojcu. Jednak rodzice pamiętali o tym, że Bóg mu wybrał imię Jan. Popatrz, ojciec dziecka pisze coś na tabliczce. „Jan jest jego imię" - napisał Zachariasz. Wtedy odzyskał mowę i zaczął chwalić Boga za Jego dobroć.

1. Co się wydarzyło w świątyni?
2. Dlaczego Zachariasz stał się niemy?
3. Jakie imię Bóg wybrał dla dziecka?

The Birth of John

Luke 1:57-80

Elizabeth's husband, Zechariah, was a priest in the temple. One day, while he was serving, the angel Gabriel appeared to him. Zechariah learned from him that his prayers had been answered and that his wife Elizabeth would give birth to a son. His name would be John. The priest could not believe his ears. And because of his doubt he turned deaf until the birth of his son. This all happened nine months ago. And now happy Elizabeth is holding her newborn son in her arms. Their relatives and neighbors have just arrived to name the child. They all knew that he should be given his father's name. But his parents remembered that God had chosen his name to be John. Look, the father is writing something on a tablet. „His name is John," Zechariah wrote. Then he got his speech back and began to worship God for His goodness.

1. What happened in the temple?
2. Why did Zechariah lose his speech?
3. What name did God choose for the child?

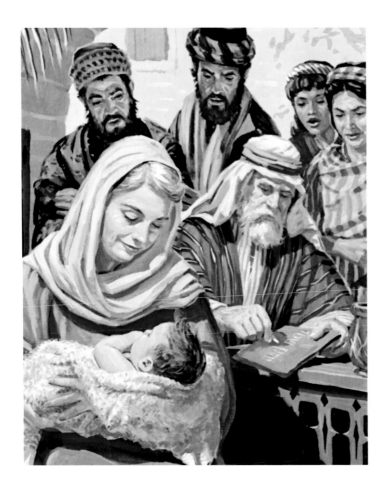

Co tu widzisz?

Czy wiesz, co Zachariasz ma w ręku? Zachariasz trzyma tabliczkę. Jest ona zrobiona z drewna i pociągnięta warstwą wosku. Zachariasz wydrapuje na niej imię „Jan".

What can you see?

Can you see what Zechariah is holding in his hand? Zechariah is holding a tablet. It is made of wood and covered with a thin layer of wax. Zechariah is scratching the name „John".

Narodzenie Jezusa

Ewang. wg św. Łukasza 2: 1-7

Bóg wybrał Józefa na męża i opiekuna Maryi. Zostało już niewiele czasu do narodzin dziecka. Pewnego dnia okazało się, że Maryja i Józef muszą wyruszyć w daleką drogę. Szli i szli, aż dotarli do miasteczka Betlejem. Józef biegał od gospody do gospody. Nigdzie nie było dla nich miejsca. Wreszcie, któryś z litościwych ludzi zapewnił im nocleg w stajence. Mieszkały tam osły, krowy i owce. Józef przygotował dla Maryi posłanie. Zapadła noc. Na niebie lśniły gwiazdy. W tą cichą, świętą noc w Betlejem wydarzyła się rzecz niezwykła. Urodził się Jezus, Syn Boga. Widzisz, jak Maryja trzyma Go w ramionach? Jest bardzo szczęśliwa, że została matką Zbawiciela.

1. Gdzie narodziło się Dzieciątko Jezus?
2. Kto trzyma Je w ramionach?
3. Jakie zadanie ma Józef do spełnienia?

The Birth of Jesus

Luke 2:1-7

God chose Joseph to be Mary's husband and provider. Not much time was left before the child would be born. One day it turned out that Mary and Joseph had to go on a long trip. They walked and walked until they reached the town of Bethlehem. Joseph went from one inn to another. But there was not any room left for them. Then a merciful man let them stay in a stable for the night. Some donkeys, cows and sheep were kept there. Joseph prepared bedding for Mary. The night came. Stars were twinkling in the sky. And on that quiet, holy night in Bethlehem a wonderful thing happened. Jesus, the Son of God, was born. Can you see Mary holding Him in her arms? She is very happy that she was chosen to be the Saviour's mother.

1. Where was the Baby Jesus born?
2. Who is holding Him?
3. What is Joseph's role?

Co tu widzisz?
Po czym można poznać, że to jest stajnia? Opowiedz, co
tu widzisz.

What can you see?
How can you tell that this is a stable? What you can see.

Aniołowie nad Betlejem

Ewang. wg św. Łukasza 2: 8-14

i pasterze wpatrują się w coś dziwnego. Widzisz, co to jest? Na wzgórzach wokół Betlejem znajdowały się pastwiska. Chociaż była już ciemna noc, pasterze nie spali. Czuwali nad swoimi owcami. Siedzieli przy ognisku i opowiadali sobie różne historie. Nic nie wskazywało na to, że będzie to wyjątkowa noc. Nagle wspaniałe światło rozjaśniło niebo i ukazał im się anioł, który zwiastował pasterzom wielką radość. Powiedział im, że w Betlejem urodził się Syn Boga, dawno oczekiwany Zbawiciel. Pasterze zobaczyli tysiące aniołów, które śpiewały na chwałę Bogu. Potem aniołowie unieśli się do nieba. Nad polami zaległa cisza.

1. Gdzie znajdowali się pasterze?
2. Co oni tam robili?
3. Co powiedział im anioł?

Angels over Bethlehem

Luke 2:8-14

These shepherds are gazing at a strange thing. Can you see what it is? There were some fields on the hills surrounding Bethlehem. But even though it was a dark night, the shepherds were not asleep. They were watching their sheep. They were sitting around the fire and telling stories. It did not look like it would be an unusual night. Suddenly, a bright light shone in the sky and an angel appeared to them. He told them about a great joy. He said that the long-awaited Saviour, the Son of God, was born in Bethlehem. The shepherds saw thousands of angels praising God. Then the angels went back to heaven. The fields were quiet once more.

1. Where were the shepherds?
2. What were they doing there?
3. What did the angel tell them?

Co tu widzisz?
Jak myślisz, dlaczego pasterze rozpalili ognisko? Czy widzisz owce? Pokaż je palcem. A gdzie jest szósty pasterz? Poszukaj!

What can you see?
Why do you think the shepherds have prepared the fire? Can you see any sheep? Point at them with your finger. And where is the sixth shepherd? Look for him!

Odwiedziny pasterzy

Ewang. wg św. Łukasza 2: 15-20

 asterze nie mogli uwierzyć w to, co się wydarzyło. Nie powrócili już do ogniska. Zostawili owce i pobiegli do Betlejem. Odnaleźli stajenkę i ostrożnie weszli do środka. Ujrzeli Maryję i Józefa oraz Dzieciątko leżące w żłobie. Padli na kolana i oddali Mu pokłon. Byli bardzo szczęśliwi, że to oni mogli pierwsi zobaczyć małego Jezusa. Potem opowiedzieli Maryi i Józefowi o tym, co się wydarzyło na polach betlejemskich. Gdy wracali do swoich stad, wszystkim napotkanym ludziom opowiadali wspaniałą nowinę.

1. Co zrobili pasterze?
2. Kogo zobaczyli w stajence?
3. Co byś zrobił gdybyś tam był?

The Shepherds' Visit

Luke 2:15-20

The shepherds could not believe what had happened. But they did not return to their fire. They left the sheep and ran to Bethlehem. They found the stable and they went in. They saw Mary and Joseph, and the Baby lying in the manger. They fell on their knees and worshipped Him. They were so happy that they were the first to see little Jesus. Then they told Mary and Joseph about what had happened in the fields around Bethlehem. Then they shared the good news with everyone they met on their way back.

1. What did the shepherds do?
2. Whom did they see in the manger?
3. What would you do if you were there?

Co tu widzisz?

Co przyniósł ze sobą ten młody pasterz? Czy chciałbyś potrzymać na ręku tę młodą owieczkę? Dlaczego jest tu tyle słomy i siana? Widzisz gwiazdy na niebie? Czy to dzień, czy noc?

What can you see?

What has one of the young shepherds brought? Would you like to hold this lamb in your arms? Why is there so much straw and hay here? Can you see the stars in the sky? Is it night or day?

Mały Jezus w świątyni

Ewang. wg św. Łukasza 2: 21-38

ężczyzna trzymający na ręku małego Jezusa wygląda na bardzo szczęśliwego. Ma na imię Symeon. Przed wielu, wielu laty Bóg obiecał mu, że zobaczy kiedyś Zbawiciela. Gdy Maryja i Józef pojawili się w świątyni, w Jerozolimie, Symeon rozpoznał Tego, na którego czekał całe życie. Jakże był szczęśliwy, że mógł wziąć na ręce małego Jezusa i błogosławić Boga. W świątyni przebywała także osiemdziesięcioczteroletnia Anna, która nigdy nie opuszczała świątyni. Ona także wiedziała, kim jest Dziecko. Zaczęła wielbić Boga i mówić wszystkim ludziom, że widziała Zbawiciela. Każdy z nas powinien o tym opowiadać, nie uważasz?

1. Kto trzyma na ręku małego Jezusa?
2. Dlaczego jest on taki szczęśliwy?
3. Co zrobi Anna?

Little Jesus in the Temple

Luke 2:21-38

The man holding little Jesus in his arms seems very happy. His name is Simeon. Many, many years ago God had promised him that one day he would see the Saviour. When Mary and Joseph came to the temple in Jerusalem, Simeon recognized the One for whom he had been waiting all his life. How happy he was to be able to hold little Jesus in his arms and bless God. There was an old woman named Anna in the temple as well. She was eighty four years old. She never left the temple. She also knew who the Child was. She began to praise God and tell all the people that this was the Saviour. We all should be telling others about Jesus, don't you think?

1. Who is holding little Jesus in his arms?
2. Why is he so happy?
3. What is Anna doing?

Co tu widzisz?

Spójrz, jak ubrani są ci ludzie. Czy ty i twoja rodzina nosicie takie ubrania?

What can you see?

Look at what these people are wearing. Do you and your family wear such clothes?

Mędrcy ze wschodu
Ewang. wg św. Mateusza 2: 1-8

Daleko na wschodzie mieszkali ludzie, którzy czytali mnóstwo mądrych ksiąg. Szczególnie lubili obserwować gwiazdy. Byli to prawdziwi mędrcy. Pewnej nocy ujrzeli oni nową gwiazdę. Była dużo większa i piękniejsza od pozostałych. Mędrcy wiedzieli, że gdzieś narodziło się niezwykłe dziecko. Zabrali podarunki, wsiedli na wielbłądy i wyruszyli w daleką podróż. Dotarli do pałacu złego króla Heroda. Byli pewni, że właśnie w pałacu urodził się nowy król. Herod przeraził się, gdy usłyszał, że jest ktoś, kto w przyszłości może odebrać mu tron. Zdenerwowany, wezwał mędrców. Przekonał ich, że on również chce oddać pokłon Dziecku. Dlatego musi poznać miejsce, w którym narodziło się Dzieciątko.

1. *Dokąd podążają ci trzej mężowie?*
2. *Dlaczego wyruszyli w podróż?*
3. *Co chciałbyś doradzić mędrcom?*

The Wise Men from the East
Matthew 2:1-8

Far in the East lived some men who had read many wise books. They especially liked to study the stars. They were true sages. One day they noticed a new star in the sky. It was much bigger and brighter than the other stars. The wise men knew that, somewhere, a special Child had been born. They took gifts, got on their camels and set out for a long journey. They reached the palace of the wicked king Herod. They thought that the new king had been born in the palace. Herod was worried when he heard that someone had been born who might take his throne from him one day. He invited the wise men to his room. He convinced them that he wanted to worship the Child too. He told them that as soon as they found the place they should tell him where the Child was born.

1. *Where are these three men going?*
2. *Why did they set out on a journey?*
3. *What advice would you give to the wise men?*

Co tu widzisz?

Mędrcy jadą na wielbłądach. Jadą z bardzo daleka. Nie jest to wygodna podróż. Czy jesteś zadowolony, że nie musisz siedzieć na wielbłądzie, gdy wyruszasz w daleką drogę?

What can you see?

The wise men are riding on their camels. They are coming from a far. It has not been a comfortable journey. Are you glad that you do not have to ride on a camel when you go for a long journey?

Mędrcy w stajence
Ewang. wg św. Mateusza 2:9-12

ędrcy opuścili pałac Heroda i udali się prosto do Betlejem. Gdy nadszedł wieczór, na niebie zaczęły pokazywać się gwiazdy. Nagle ujrzeli tą samą piękną gwiazdę, którą widzieli na wschodzie. Mędrcy szli za nią, aż doszli do małego domku, nad którym się zatrzymała. Gdy weszli do środka, ujrzeli Maryję z Jezusem. Uklękli przed Nim i oddali Mu hołd. Potem złożyli przed Jezusem swoje dary- mirrę, kadzidło i złoto. Były to bardzo cenne prezenty. Mędrcy cieszyli się , że mogą coś dać Zbawicielowi , Synowi Boga. Gdy odeszli spędzili jeszcze jedną noc w Betlejem. Bóg ostrzegł ich we śnie, by nie wracali do złego króla Heroda, gdyż miał on złe zamiary wobec Dzieciątka.

1. Co robią mędrcy?
2. Jakie prezenty przynieśli Jezusowi?
3. Czy chciałbyś coś dać Jezusowi?

The Wise Men in the Stable
Matthew 2:9-12

The wise men left the palace of Herod and went straight to Bethlehem. When the night came the stars started twinkling in the sky. They noticed the same beautiful star which they had seen in the East. The wise men followed it and came to a small shed where the star stopped. When they entered in they saw Mary and Jesus. They knelt before Him and worshipped Him. Then they gave Him their gifts of myrrh, incense and gold. These were very precious gifts. The wise men were happy that they were able to give something to the Saviour, the Son of God. They spent one more night in Bethlehem. God warned them in a dream not to go back to the wicked king Herod because he had bad intentions towards the Child.

1. What are the wise men doing?
2. What gifts did they bring Jesus?
3. What would you like to give Jesus?

Co tu widzisz?

Pokaż każdy z prezentów, jakie przywieźli mędrcy. Czy umiesz nazwać te trzy dary?

What can you see?

Point out each gift which the wise men have brought. Can you name them?

Ucieczka do Egiptu

Ewang. wg św. Mateusza 2:13-18

Mędrcy nie powrócili do Heroda. Król niecierpliwił się coraz bardziej. Planował zabić Dziecko, aby nie dopuścić, by było Ono kiedyś królem. Jednak Bóg czuwał nad Jezusem. We śnie ostrzegł Józefa przed grożącym niebezpieczeństwem. Jeszcze tej samej nocy, Józef ze swoją żoną Maryją i Jezusem, uciekł do Egiptu. Zły król zrozumiał, że mędrcy go oszukali. Wpadł w okrutny gniew. Wysłał do Betlejem swoich żołnierzy, by zabili każdego chłopca, który nie skończył jeszcze dwóch lat. Herod był wreszcie zadowolony. Był przekonany, że mały król na pewno nie żyje. Ale Jezus żył w dalekim Egipcie. Bóg obiecał Józefowi pomoc w opiece nad Maryją i Jezusem. A ty wiesz, że Bóg dotrzymuje swoich obietnic, prawda?

1. Dokąd wyruszyli Józef i Maryja z Jezusem?
2. Dlaczego idą do Egiptu?
3. Czy Bóg się nimi zaopiekuje?

The Escape to Egypt
Matthew 2:13-18

The wise men did not return to Herod. The king was getting more and more upset. He wanted to kill the Child so that He would never become king. But God watched over Jesus. In a dream God warned Joseph of the danger. That very night Joseph took his wife Mary and Jesus and they escaped to Egypt. The wicked king realized that the wise men had tricked him. He got very angry. He sent his soldiers to Bethlehem to kill all the boys who were not yet two years old. Finally Herod was satisfied. He was sure that the little king was dead. But Jesus was alive in the far land of Egypt. God promised Joseph that He would help him take care of Mary and Jesus. And you know that God always keeps His promises, don't you?

1. Where are Joseph, Mary and Jesus going?
2. Why are they going to Egypt?
3. Will God take care of them?

Co tu widzisz?

Przyjrzyj się drodze, po której oni idą. Z pewnością nie wygląda, jak prawdziwa droga. W czasach biblijnych drogami były wąskie ścieżki. Chodziły po niej osły i wielbłądy. A ludzie bardzo często chodzili na piechotę. Nie było wtedy żadnych samochodów.

What can you see?

Look at the road they are traveling on. It does not look like a real road. In Bible times the roads were just narrow paths. The donkeys and camels walked on them. And the people often walked on foot. There were no cars then.

Powrót do Nazaretu

Ewang. wg św. Mateusza 2:19-23

ły król, który chciał zabić Jezusa rozchorował się i umarł. Maryja i Józef mogli już powrócić do domu z małym Jezusem. Nie groziło im żadne niebezpieczeństwo. Widzisz jak wracają? Byli w dalekim Egipcie. To było bardzo daleko od ich domu. Teraz są w swoim rodzinnym mieście, w Nazarecie. Bardzo długo byli poza domem, dlatego są szczęśliwi, że mogli do niego wrócić. Czy ty też cieszysz się, powracając do domu z dalekiej podróży?

1. Gdzie byli Józef i Maryja z Jezusem?
2. Czy Bóg czuwał nad nimi?
3. Czy prosisz Boga, by czuwał nad tobą w podróży?

The Return to Nazareth

Matthew 2:19-23

The wicked king who wanted to kill Jesus got ill and died. Mary and Joseph and Jesus could go back home. They were not in any danger any more. Can you see them going back? They had lived in Egypt. It was far away from their home. And now they are finally in their home town, Nazareth. They had been away from home for a long time, so they were happy to be back. Are you happy when you come back home after a long trip?

1. Where had Joseph, Mary and Jesus been living for some time?
2. Did God take care of them?
3. Do you ask God to protect you during a trip?

Co tu widzisz?

Widzisz ten mur z kamieni? Spójrz na te domy. Czy wyglądają tak, jak domy w mieście, w którym mieszkasz?

What can you see?

Can you see this stone wall? Look at the houses. Do they look like the houses in the place where you live?

Jezus dobrym pomocnikiem
Ewang. wg św. Łukasza 2:39-40

aryja, Józef i Jezus powrócili do Nazaretu. Zamieszkali w małym, białym domku. Józef był cieślą i zarabiał na utrzymanie swojej rodziny, a Maryja prowadziła gospodarstwo. Popatrz, jak Jezus przybija coś młotkiem. Jest pracowity i chętnie pomaga Józefowi w jego warsztacie. Józef wyrabia różne przedmioty z drewna. Jezus jest już duży i może uczyć się pracować. Bardzo chce być dobrym pomocnikiem. Jezus pokazał nam, jak należy szanować swoich ziemskich rodziców i jest dla nas przykładem.

1. Co Jezus tu robi?
2. Komu pomaga?
3. Czy Jezus jest dla nas dobrym przykładem?

Jesus - the good Helper
Luke 2:39-40

Mary, Joseph and Jesus returned to Nazareth. They moved to a little, white house. Joseph was a carpenter and he worked to earn a living for his family. Mary worked in the house. Look at Jesus. He is holding a hammer. He is hard-working and He helps Joseph in his shop. Joseph makes various things out of wood. Jesus is big now and he can learn how to work. He wants to be a good helper. Jesus showed us how to honor our earthly parents. He was a good example for us.

1. What is Jesus doing?
2. Who is He helping?
3. Is Jesus a good example for us?

Co tu widzisz?
Ile narzędzi widzisz na obrazku? Pokaż je wszystkie. Czy Józef jest zadowolony z pomocy Jezusa?

What can you see?
How many different tools can you see in the picture? Point them all out. Is Joseph happy because Jesus is helping him?

Dwunastoletni Jezus w świątyni

Ewang wg św. Łukasza 2:41-52

Jezus skończył już dwanaście lat. Był dużym i mądrym chłopcem. Maryja i Józef wybierali się do Jerozolimy na obchody Święta Paschy. Było to święto ustanowione na pamiątkę wyprowadzenia z niewoli egipskiej. Jezus po raz pierwszy wyruszył ze swoją rodziną do świątyni w Jerozolimie. Po zakończeniu święta Maryja i Józef wracali do domu. Szło z nimi mnóstwo ludzi, dlatego dopiero wieczorem zauważyli, że nie ma z nimi Jezusa. Wrócili do Jerozolimy i szukali Go przez trzy dni. Znaleźli Go w świątyni, rozmawiającego z mądrymi nauczycielami. Spójrz, ten dwunastoletni chłopiec poucza ich. Rozmawia z nimi o Bogu, a oni jeszcze nie wiedzą, że jest On Synem Boga. Gdy Jezus ujrzał szukających Go, Maryję i Józefa, posłusznie wrócił z nimi do Nazaretu.

1. Co Jezus robił w świątyni?
2. Czy Jezus posłuchał Maryi i Józefa?
3. Czy ty zawsze słuchasz swoich rodziców?

The Twelve-year Old Jesus in the Temple

Luke 2:41-52

Jesus was already twelve years old. He was a big and wise boy. Mary and Joseph were going to Jerusalem for the Passover Feast. This was the feast established as a reminder of the coming out of Egypt. Jesus went to the temple in Jerusalem with his family for the first time. After the feast Mary and Joseph were going back home. They were traveling with many people so it was already late at night when they noticed that Jesus was not with them. They returned to Jerusalem and looked for Him for three days. They found Him in the temple talking to the wise teachers. Look, this twelve-year old boy is teaching them! He is talking to them about God. But they do not know yet that He is the Son of God. When Jesus saw Mary and Joseph He obediently went back home with them to Nazareth.

1. What did Jesus do in the temple?
2. Did Jesus obey Mary and Joseph?
3. Do you always obey your parents?

Co tu widzisz?
Ilu mężczyzn widzisz wokół Jezusa? Czy są to młodzi ludzie? Wszyscy razem siedzą w Domu Bożym, w świątyni.

What can you see?
How many men are there surrounding Jesus? Are they young? They are all in the House of God, the temple.

Kazanie Jana

Ewang. wg św. Mateusza 3:1-12

J an, syn kapłana Zachariasza, był już dorosłym człowiekiem. Żył w samotności na pustyni. Tam przemówił do niego Bóg i dał mu zadanie do wykonania. Miał przygotować lud na nadejście Mesjasza. Jan nauczał ludzi nad brzegiem rzeki Jordan. Wzywał ich do pokuty i chrztu w rzece, dlatego nazywano go Janem Chrzcicielem. Był coraz bardziej znany. Tłumy ludzi przychodziły, aby go zobaczyć. Wielu uwierzyło w słowo, które głosił i dało się ochrzcić. Byli też ludzie myślący, że Jan jest Zbawicielem, na którego tak długo czekali.

1. *Gdzie przebywał Jan?*
2. *Co robią otaczający go ludzie?*
3. *Czy ty też chętnie słuchasz o Jezusie?*

John's Preaching

Matthew 3:1-12

John, son of Zechariah, grew up. He lived alone in the desert. God talked to him there and gave him a task to fulfill. He was to prepare the people for the coming of the Messiah. John taught the people at the Jordan River. He called them to repentance and baptized them in the river. He was called John the Baptist. He was becoming more and more famous. Crowds of people were coming to see him. Many believed in the word he was preaching and were baptized. Some thought that John was the Saviour for whom they had been waiting for such a long time.

1. *Where did John stay?*
2. *What are the people around John doing?*
3. *Do you like hearing about Jesus?*

Co tu widzisz?

Czy zauważyłeś na tym obrazku żołnierza? On też przyszedł, by posłuchać, co mówi Jan. Zwróć uwagę na szatę Jana. Zrobiona jest z sierści wielbłądziej.

What can you see?

Do you see a soldier in the picture? He came to listen to John. Notice John's garment. It is made of camel's hair.

Chrzest Jezusa
Ewang. wg św. Mateusza 3: 13-17

J an stoi w wodzie, widzisz? Przed chwilą wydarzyło się coś bardzo ważnego. Gdy Jan chrzcił ludzi w rzece Jordan, nadszedł Jezus. Chociaż Jan nigdy Go nie widział, poznał Go od razu. Wiedział, że jest On Zbawicielem i nie potrzebuje chrztu na odpuszczenie grzechów. Dlatego wzbraniał się przed ochrzceniem Jezusa w Jordanie. Kiedy Jan to zrobił i Jezus wyszedł z wody, nagle otworzyło się nad Nim niebo. Duch Boży w postaci gołębicy, zstąpił na Niego. Rozległ się głos z nieba, który mówił: „Oto Syn mój umiłowany, w którym mam upodobanie".

1. Co tu się przed chwilą wydarzyło?
2. Co Bóg powiedział o Jezusie?
3. Czy Jezus potrzebował chrztu?

The Baptism of Jesus
Mathew 3:13-17

Can you see John standing in the water? Something very important has happened a moment ago. When John was baptizing people in the Jordan River, Jesus came. Even though John had never seen Him before he recognized Jesus immediately. He knew that Jesus was the Saviour and did not need to be baptized for the forgiveness of sins. So he refused to baptize Jesus in the Jordan. But when he finally did, and Jesus stepped out of the water suddenly heaven was opened. The Spirit of God descended on Jesus in the form of a dove. And a voice from heaven said, „This is my beloved Son, whom I love; with Him I am well pleased."

1. What has just happened here?
2. What did God say about Jesus?
3. Did Jesus need baptism?

Co tu widzisz?
Gdzie jest gołębica? Jest ona znakiem, że Duch Boży zstąpił z nieba.

What can you see?
Where is the dove? The dove that descended from heaven is a sign of the Spirit of God.

Kuszenie na pustyni
Ewang. wg św. Mateusza 4: 1-11

Jezus, po przyjęciu chrztu, chciał w samotności przygotować się do wypełnienia swojej misji na ziemi. Wyruszył na pustynię i spędził tam czterdzieści dni i czterdzieści nocy, poszcząc przez cały czas. Kiedy już osłabł z głodu, zbliżył się do niego szatan - wróg Boga i człowieka. Sprytnie próbował skłonić Jezusa do przeciwstawienia się Bogu. Szatan kusił Syna Bożego, lecz Jezus był silniejszy niż Jego wróg. Szatan nie ustępował, lecz Jezus cytując słowa z Pisma Świętego, pokonał go. Ani razu nie udało się szatanowi skusić Jezusa. Gdy Syn Boży został sam, zbliżyli się do Niego aniołowie i służyli Mu. Bóg chce, abyśmy również potrafili przeciwstawić się szatanowi, gdy będzie namawiał nas do robienia złych rzeczy.

1. *Kto kusił Jezusa na pustyni?*
2. *Czy szatan pokonał Jezusa?*
3. *Czy ty potrafisz przeciwstawić się szatanowi?*

The Temptation in the Desert
Matthew 4:1-11

After Jesus was baptized He wanted to go off by Himself to prepare for His mission in the world. He went into the wilderness and spent forty days and nights there fasting. When He became weak with hunger, Satan, God's and man's enemy, came to Him. He tried to convince Jesus to disobey God. Satan tempted the Son of God but Jesus was stronger then His enemy. Satan did not quit but finally Jesus overcame him, quoting the Scriptures. Jesus did not yield to any of Satan's temptations even once. When the Son of God was left alone, angels came to Him and attended Him. God wants us to be able to resist Satan when he tries to persuade us to do bad things.

1. *Who tempted Jesus in the desert?*
2. *Did Satan overcome Jesus?*
3. *Do you know how to resist Satan?*

Co tu widzisz?

Czy widzisz tu piękną, bujną roślinność? Czy chciałbyś tu przebywać?

What can you see?

Can you see any lush greenery here? Would you like to stay in such a place?

Jezus w świątyni

Ewang. wg św. Jana 2: 13-16

Gdy nadeszło święto Paschy, Jezus, jak co roku udał się do świątyni w Jerozolimie. Gdy zbliżył się do Domu Bożego usłyszał odgłosy beczenia, ryczenia i krzyki ludzi. Gdy wszedł do świątyni ujrzał handlarzy, baranki, woły i gołębie. Zamiast modlących się i wielbiących Boga ludzi, ujrzał zwykłe targowisko. Rozgniewał się bardzo. Zrobił sobie bicz z powrozu i powyrzucał wszystkich ze świątyni. Wypędził też zwierzęta, porozrzucał pieniądze, a stoły poprzewracał. Jezus był bardzo zmartwiony tym, co działo się w Domu Bożym. Spójrz na wyraz Jego twarzy. Czy nie byłbyś zły, gdyby coś takiego działo się w twoim kościele?

1. Co Jezus robi?
2. Dlaczego jest zagniewany?
3. Czy tobie podobałby się taki widok?

Jesus in the Temple

John 2:13-16

When the Feast of Passover was coming near Jesus went as usual to the temple in Jerusalem. When He came close to the House of God He heard animals bleating and mooing and people yelling. He went in and saw people selling sheep, oxen and doves. Instead of people praying and worshipping God, it was more like a fair. He got very angry. He made a whip out of cords and drove them all out of the temple. He drove out all the animals, scattered the money and turned over the tables. Jesus was very sad because of what was happening in the House of God. Look at His face. Wouldn't you be angry if anything like that was happening in your church?

1. What is Jesus doing?
2. Why is He angry?
3. Would you like to see such a sight?

Co tu widzisz?

Pokaż wszystkie krzesła i stoły. Które z nich są poprzewracane? Co jeszcze tu widzisz?

What can you see?

Point out all the chairs and tables. Where are the overturned ones? What else can you see?

Rozmowa z Nikodemem

Ewang. wg św. Jana 3: 1-21

 idzisz tego człowieka, który rozmawia z Jezusem? To Nikodem. Był on jednym z najbardziej znanych ludzi w Jerozolimie. Chociaż był bardzo mądry, jednak niewiele wiedział o Bogu. Chciał spotkać się z Jezusem, ale nie miał odwagi uczynić tego w dzień. Dlatego przyszedł nocą w wielkiej tajemnicy. Jezus przez całą noc objaśniał Nikodemowi, jak dostać się do nieba. Chociaż Nikodem był uczonym człowiekiem, bardzo trudno było mu to zrozumieć. Był przekonany, że dobrze postępuje. Jednak dowiedział się, że to stanowczo za mało, aby po śmierci przebywać z Bogiem. Nikodem musiał uwierzyć w to, że Jezus jest Synem Bożym i ukochać Go z całego serca. Wtedy każdy, kto tak uczyni, staje się nowym człowiekiem i po śmierci spędzi całą wieczność z Bogiem.

1. Kim był Nikodem?
2. Dlaczego przyszedł do Jezusa nocą?
3. Czy rozumiesz, co Jezus powiedział Nikodemowi?

Jesus Talks to Nicodemus

John 3:1-21

Can you see the man talking to Jesus? It is Nicodemus. He was one of the most well-known people in Jerusalem. Even though He was very wise, he did not know much about God. He wanted to see Jesus but he was not bold enough to go to Him in the daytime. So he came secretly at night. All night Jesus taught Nicodemus how to enter heaven. Even though Nicodemus was a learned man he could not understand it. He was sure he had been doing everything right. But he learned that to do right was not enough to go to heaven when you die. Nicodemus had to believe that Jesus was the Son of God and love Him with all his heart. Everyone who does that becomes a new person and will spend eternity with God.

1. Who was Nicodemus?
2. Why did he come to Jesus at night?
3. Do you understand what Jesus told Nicodemus?

Co tu widzisz?
Który z tych dwóch mężów jest Jezusem, a który Nikodemem? Obaj znajdują się na płaskim dachu domu. Czy widzisz inne domy? Ludzie wychodzili często na takie dachy, aby porozmawiać.

What can you see?
Which one of the two men is Jesus and which is Nicodemus? They are both on the flat roof of a house. Can you see other houses? People used to go up to such roofs to talk.

Uzdrowienie chłopca

Ewang. wg św. Jana 4: 46-54

Spójrz, z jaką radością ojciec przytula synka. Jak bardzo jest szczęśliwy. Jeszcze wczoraj chłopiec był ciężko chory. Jego ojciec był bardzo bogaty. Jednak nie mógł pomóc swojemu dziecku. Chłopiec był umierający. Kiedy mężczyzna dowiedział się, że w pobliżu przebywa Jezus, pobiegł do Niego po ratunek. Gdy już odnalazł Jezusa, błagał Go o pomoc. Prosił, by Jezus udał się do jego domu. Jezus nie wahał się mu pomóc. Powiedział ojcu, aby wracał do domu, bo jego syn jest już zdrowy. Mężczyzna uwierzył Jezusowi i szybko pobiegł do domu. I jak myślisz, co zobaczył, gdy wszedł do pokoju? Jego syn był zupełnie zdrowy i wesoły. W domu zapanowała wielka radość! Każdy, kto się dowiedział o tym wydarzeniu, uwierzył, że dla Jezusa nie ma rzeczy niemożliwych

1. *O co ten człowiek prosił Jezusa?*
2. *Czy Jezus uzdrowił tego chłopca?*
3. *Czy często jesteś chory?*

The Healing of a Boy

John 4:46-54

Look how joyfully this father is embracing his son. He is very happy. Just the day before the boy was seriously ill. His father was very rich. But he could not help his son. The boy was dying. When his father learned that Jesus was not far away, he ran to Him for help. When he found Jesus, he begged for help. He asked Jesus to come to his house. Jesus did not hesitate. He told the father to go back home because his son was already well. The man believed Jesus and quickly ran home. And what do you think he saw when he entered the room? His son was perfectly well and cheerful. The whole household started rejoicing! Everyone who heard what happened believed that nothing is impossible for Jesus.

1. *What did the man ask Jesus for?*
2. *Did Jesus heal the boy?*
3. *Are you sometimes ill?*

Co tu widzisz?

Czy sądzisz, że ten ojciec kocha swojego syna? Dlaczego tak myślisz? Czy sądzisz, że obaj są teraz szczęśliwi? Po czym to poznajesz?

What can you see?

Do you think the father loves his son very much? Why do you think so? Do you think they are happy now? How can you tell?

Jezus czyta ludziom Słowo Boże

Ewang. wg św. Łukasza 4: 16-30

Czy posłuchałbyś chętnie, jak Jezus czyta Słowo Boże w Twoim kościele? Czy chciałbyś usłyszeć Jego kazanie? Pewnego dnia Jezus przybył do Nazaretu, gdzie się wychowywał. Wszedł do Synagogi i zaczął czytać ludziom Słowo Boże. Gdy skończył czytać, powiedział coś, co bardzo wszystkich rozgniewało. Oznajmił im, że jest Synem Bożym. Oni jednak znali Go jako sąsiada, syna cieśli Józefa. Ponieważ wpadli w złość, rzucili się na Niego i wyprowadzili na zewnątrz. Potem zawlekli Go za miasto, aż na sam szczyt góry. Chcieli Go strącić w przepaść. Lecz Jezus oddalił się od nich, bo jeszcze nie nadeszła godzina Jego śmierci.

1. Co Jezus robi?
2. Dlaczego ci ludzie są źli?
3. A ty, czy wierzysz Jezusowi?

Jesus Reads the Word of God

Luke 4:16-30

Would you like to hear Jesus read the Word of God at your church? Would you like to hear Him preach? One day Jesus went to Nazareth where he grew up. He went to the synagogue and read the Word of God to the people. When He finished reading He said something which made them all very angry. He declared that He was the Son of God. But they knew Him as their neighbor, the son of Joseph, the carpenter. They were furious so they grabbed Him and dragged Him out. Then they took Him outside the town to a hill top. They wanted to throw Him off the cliff. But Jesus walked through the crowd and went on His way because it was not yet time for Him to die.

1. What is Jesus doing?
2. Why are these people angry?
3. Do you believe Jesus?

Co tu widzisz?
Jezus czyta i głosi Słowo Boże w synagodze. Jest to Dom
Boży w Nazarecie. Czy widzisz na tym obrazku coś, cze-
go nie ma w twoim kościele?

What can you see?
Jesus is reading the Word of God and preaching at the
synagogue. This is the House of God in Nazareth. Can
you see anything in the picture which is not in your
church?

Cudowny połów ryb

Ewang. wg św. Łukasza 5: 1-11

Spójrz na te ryby. Jest ich tak dużo, że trudno wciągnąć je do łodzi. Rybacy są szczęśliwi, że złowili tyle ryb. Jeszcze tego ranka byli smutni. Przez całą noc łowili, jednak sieci były puste. Chociaż noc jest najlepszą porą na połów, w sieciach były tylko wodorosty. Gdy wyciągnęli łódź na brzeg, zbliżył się do nich Jezus. Gdy nadeszło południe i zrobiło się bardzo gorąco, Jezus polecił im wypłynąć w morze i zarzucić sieci. Rybacy byli bardzo zdziwieni, gdyż wiedzieli, że nie była to właściwa pora na połów. Jednak posłuchali Jezusa i skierowali łódź na pełne morze. Nie minęło dużo czasu, a sieci zaczęły się rwać pod ciężarem ryb. Rybacy wezwali na pomoc swoich przyjaciół. Razem wyciągnęli sieci i napełnili rybami dwie łodzie, które ledwo dopłynęły do brzegu.

1. Dlaczego rybacy byli zaskoczeni słowami Jezusa?
2. Skąd Jezus wiedział, gdzie można złowić ryby?
3. Czy podczas swojej pracy potrzebujesz czasem pomocy?

The Miraculous Catch of Fish

Luke 5:1-11

Look at the fish. There are so many of them that it is difficult to drag the net into the boats. The fishermen are happy that they have caught so many fish. But that same morning they were sad. They had fished all night but their nets were empty. Even though the night is the best time to catch fish there was only sewed in the nets. When they drew their boats up onto the beach, Jesus approached them. It was noon and it was getting very hot. Jesus told them to go out into the sea and let down their nets. The fishermen were surprised because it was not the right time for fishing. But they obeyed Jesus and went out into the sea. And sure enough their nets began to tear because there were so many fish in them. They filled up two boats with fish. They just barely made it to shore.

1. Why were the fishermen surprised by what Jesus told them to do?
2. How did Jesus know where to catch fish?
3. Do you sometimes need help in your work?

Co tu widzisz?

Ile widzisz łodzi? A ilu rybaków? Ci ludzie zajmują się rybołówstwem. Później przestaną łowić ryby. Zostaną przyjaciółmi Jezusa i Jego pomocnikami.

What can you see?

How many boats can you see? And how many fishermen? These people were fishing for living. But they would stop catching fish. They would become Jesus' friends and helpers.

Powołanie pierwszych apostołów

Ewang. wg św. Mateusza 4: 18-22

ndrzej i jego brat Piotr byli rybakami. Łowili ryby na jeziorze Galilejskim. W ten sposób zarabiali na życie. Podczas tej pracy przyszedł do nich Jezus i uczynił ich swoimi pomocnikami. Andrzej i Piotr zostawili swoją pracę i poszli za Jezusem. Gdy szli razem, ujrzeli innych braci, którzy siedzieli w swojej łodzi i naprawiali sieci. Byli to Jakub i Jan. Oni również zostawili swoje łodzie i poszli za Jezusem. W podobny sposób powołani zostali pozostali uczniowie. Było ich dwunastu. Jezus nazwał ich swoimi apostołami. Byli oni Jego przyjaciółmi i świadkami wspaniałych cudów, które czynił.

1. *Co robili wcześniej apostołowie Jezusa?*
2. *Czy chętnie zgodzili się pomagać Jezusowi?*
3. *Czy ty chciałbyś pomagać Jezusowi?*

The Calling of the First Apostles

Matthew 4:18-22

Andrew and his brother Peter were fishermen. They fished in the Lake of Galilee. They did it for a living. While they were working Jesus came and made them His helpers. Andrew and Peter left their job and followed Jesus. As they were walking together they saw some other brothers who were mending their nets in their boat. They were James and John. They also left their boats and followed Jesus. Other disciples were called in a similar way. There were twelve of them. Jesus called them His apostles. They were His friends and witnesses of the wonderful miracles He did.

1. *What did Jesus' apostles do before they were called?*
2. *Did they willingly agree to help Jesus?*
3. *Would you like to help Jesus?*

Nowy Testament

Co tu widzisz?

Czy widzisz łódź i sieci? Spójrz, ta łódź ma żagiel. Czy wiesz, do czego on służy? Ludzie wciągali żagiel na maszt i napinali go. Wtedy wiatr dął w żagiel i łódka mknęła po wodzie.

What can you see?

Can you see the boat and the nets? Look, there is a sail in this boat. Do you know what it is used for? People would hoist a sail on the mast. When the wind blew the sail the boat would speed on the water.

Uzdrowienie kobiety
Ewang. wg św. Marka 1: 29-34

 iotr i jego żona wyglądają na bardzo szczęśliwych. Mają się z czego cieszyć. Starsza kobieta, która siedzi na łóżku, to teściowa Piotra. Jeszcze nie dawno była ciężko chora. Leżała w gorączce i bardzo źle się czuła. Piotr martwił się o nią i poprosił Jezusa o pomoc. Wierzył, że nie ma dla Niego rzeczy niemożliwych. Jezus wszedł do pokoju chorej. Wziął ją za rękę i pomógł usiąść. Gorączka nagle ustąpiła. Kobieta była znowu zdrowa. Spójrz na nią. Podniosła się i chce pomagać w kuchni. Czuje się tak, jakby nigdy nie chorowała. Jakże wspaniały jest Jezus, który każdemu może pomóc - myślą Piotr i jego żona.

1. Dlaczego Piotr i jego żona są tacy szczęśliwi?
2. Czy cieszysz się z tego, co się stało?
3. Czy podczas choroby pamiętasz, kto może ci pomóc?

The Healing of a Woman
Mark 1:29-34

Peter and his wife seem very happy. They have a reason to be happy. The elderly woman sitting on the bed is Peter's mother-in-law. Not long ago she was very ill. She was lying in bed with a fever and she did not feel very well. Peter was worried so he asked Jesus for help. He believed that nothing was impossible for Jesus. Jesus entered the sick woman's room. He took her by her hand and helped her up. The fever left her immediately. She was well again. Look at her. She has just gotten up and wants to help in the kitchen. She feels as if she has never been ill. „Jesus is so wonderful. He can help anyone" Peter and his wife think.

1. Why are Peter and his wife so happy?
2. Are you glad that Jesus healed this woman?
3. When you are ill, do you remember who can help you?

Nowy Testament

Co tu widzisz?

Czy potrafisz odnaleźć na tym obrazku łóżko? Co jeszcze widzisz w tym domu? Czy widzisz schody? Co wisi na ścianie?

What can you see?

Can you find a bed in this picture? What else can you see in the house? Can you see the stairs? What is hanging on the wall?

Uzdrowienie wielu chorych

Ewang. wg św. Łukasza 4: 40-42

W czasach, gdy Jezus chodził po ziemi nie było dla chorych ratunku. Nie istniały szpitale, nie było leków, nie było lekarzy i pielęgniarek. Ludzie bardzo potrzebowali pomocy. Tylko Jezus mógł ich uzdrowić. Wiadomość o tym, że Jezus jest wspaniałym lekarzem, rozchodziła się z miasta do miasta. Gdziekolwiek Jezus przyszedł pojawiało się mnóstwo chorych. Jezus nikogo nie odtrącał. Niewidomym przywracał wzrok, głuchym słuch, a kalecy zaczynali chodzić. Chociaż nie wszyscy wiedzieli, że Jezus jest Synem Bożym, jednak wierzyli, że to, co się dzieje jest prawdziwym cudem. Czy widzisz, ilu chorych otacza Jezusa? Są wśród nich także małe dzieci, które za chwilę pobiegną zdrowe i wesołe. Do końca swojego życia będą pamiętać o Jezusie.

1. Dlaczego ci ludzie przyszli do Jezusa?
2. Czy On im pomoże?
3. Czy Jezus może pomóc tobie?

The Healing of Many Sick People

Luke 4:40-42

In the days when Jesus walked on the earth there was no help for the sick. There were no hospitals, no medicine, no physicians, no nurses. The people desperately needed help. Only Jesus could heal them. The news that Jesus was a wonderful physician spread from one town to another. Wherever Jesus went many sick people followed Him. Jesus did not ignore anyone. He opened the eyes of the blind, opened the ears of the deaf and the cripples were able to walk again. Even though not all of them knew that Jesus was the Son of God they believed in His miracles. Can you see how many sick people surround Jesus? Little children are among them as well. In a little while they would run away from Him healed and happy. They would remember Jesus for the rest of their lives.

1. Why did these people come to Jesus?
2. Will He help them?
3. Can Jesus help you also?

Co tu widzisz?

Czy są tu ludzie chodzący o kulach? Po czym jeszcze możesz poznać, że ci ludzie są chorzy? Czy to wszystko dzieje się w mieście, czy na wsi? Dlaczego tak uważasz?

What can you see?

Are there any people walking on crutches in the picture? How can you tell that they are not well? Is it all happening in a city or in the country? Why do you think so?

Uzdrowienie mężczyzny
Ewang. wg św. Łukasza 5: 17-26

 ewnego dnia Jezus wszedł do jednego z domów. Gdy ludzie dowiedzieli się o tym, przybiegli z różnych stron, aby zobaczyć Jezusa. Wszędzie było pełno ludzi. Nie sposób było dostać się do środka. W tym mieście żył pewien bardzo chory człowiek. Ten człowiek nie chodził. Nawet nie mógł poruszać swoimi nogami i rękoma. Rodzina musiała go karmić i opiekować się nim. Gdy przyjaciele chorego dowiedzieli się, że Jezus przebywa w ich mieście, przynieśli chorego i stanęli przed tłumem ludzi. Jednak nikt nie chciał ich przepuścić. Mężczyźni mocno wierzyli, że Jezus uzdrowi ich przyjaciela, więc nie chcieli odejść. Weszli po schodach na dach domu. Zrobili otwór w dachu i spuścili chorego na dół, wprost pod nogi Jezusa. Spójrz, ten mężczyzna został uzdrowiony!

1. *Co tu się wydarzyło?*
2. *Czy chciałbyś mieć takich przyjaciół?*
3. *Czy ty przyprowadziłbyś kogoś chorego do Jezusa?*

The Healing of a Man
Luke 5:17-26

One day Jesus came to a certain house. As soon as the people learned about it they came from everywhere to see Him. There were crowds of people. It was impossible to get inside. There was a sick man in this town. He could not walk. He could not even move his legs or arms. His family had to feed him and take care of him. When the friends of the sick man heard that Jesus was in their town, they brought him on a stretcher. But they saw a big crowd of people in the house. No one would let them in. But they firmly believed that Jesus would heal their friend so they did not want to go away. They went up the stairs to the roof, made a hole in it and lowered the man down right in front of Jesus. Look, the man has been healed!

1. *What has just happened here?*
2. *Would you like to have such friends?*
3. *Would you bring a sick person to Jesus?*

Co tu widzisz?

Widzisz ten sznur? Do czego był on potrzebny? Czy wiesz, co robi ten mężczyzna? Zwija swoje łóżko. W dawnych czasach łóżka były podobne do dzisiejszych śpiworów.

What can you see?

Can you see the rope? What was it needed for? Do you know what this man is doing? He is rolling up his bedding. In ancient times the bedding looked more like modern sleeping bags.

Powołanie Lewiego

Ewang. wg św. Łukasza 5:27-28

L udzie nienawidzili Lewiego. Lewi zbierał od nich podatki. Często oszukiwał i kazał im płacić więcej niż się należało. Dlatego Lewi nie miał przyjaciół. Jednak Jezus chciał być przyjacielem Lewiego. Chciał, żeby Lewi zmienił swoje życie i poszedł za Nim. Ludzie byli bardzo zdziwieni, że Jezus chce rozmawiać z kimś takim, jak Lewi. Spójrz, Lewi wstaje i idzie z Jezusem. Jest bardzo szczęśliwy, że Jezus zwrócił na niego uwagę i uczynił go swoim pomocnikiem. Lewi już nigdy nie powróci do swojego dawnego życia. Zrozumiał, że każdy grzeszny człowiek może zostać przyjacielem Jezusa. Musi Mu tylko zaufać i poświęcić Mu swoje życie.

1. *Jaką pracę wykonywał Lewi?*
2. *Czy Lewi miał wielu przyjaciół?*
3. *Kto został przyjacielem Lewiego?*

The Calling of Levi

Luke 5:27-28

People hated Levi. Levi gathered taxes from them. He often cheated and made them pay more than they should. So Levi had no friends. But Jesus wanted to be Levi's friend. He wanted Levi to change his life and follow Him. The people were surprised that Jesus wanted to talk to such a person as Levi. Look, Levi is getting up to follow Jesus. He is very happy that Jesus noticed him and made him His helper. Levi would never return to his former life. He realized that every sinner could be Jesus' friend. He only had to trust Jesus and give Him his life.

1. *What was Levi's job?*
2. *Did Levi have many friends?*
3. *Who became the friend of Levi?*

Co tu widzisz?

Czy możesz odnaleźć statek na tym obrazku? A wóz? Czy widzisz jakieś rzeczy, których dzisiaj już się nie używa?

What can you see?

Can you see a ship in the picture? And a cart? Can you see any things which are not used nowadays?

Uczta u Lewiego

Ewang. wg św. Łukasza 5: 29-32

Gdy Lewi został przyjacielem Jezusa, pewnego dnia zaprosił Go na ucztę do swojego domu. Przybyli także najbliżsi znajomi Lewiego. Oni także zajmowali się zbieraniem podatków i nie zawsze byli uczciwi. Jezus nikim nie pogardzał, dlatego przyjął zaproszenie i ucztował razem ze wszystkimi. Ale spójrz! Do domu Lewiego weszli jacyś rozgniewani ludzie. Byli to nauczyciele Słowa Bożego. Uważali się oni za bardzo ważnych ludzi. Byli oburzeni, że Jezus spotyka się z oszustami. Nie mogli zrozumieć tego, co czynił Jezus. Patrzyli jeden na drugiego, pełni złości. Jezus wytłumaczył im, że źli ludzie potrzebują Boga, tak samo, jak chorzy lekarza, a nie ci, którzy są zdrowi.

1. Z kim ucztował Jezus?
2. Co się później wydarzyło?
3. Co Jezus im odpowiedział?

The Banquet at Levi's

Luke 5:29-32

When Levi became Jesus' friend, he invited Him to a banquet at his house. The people he knew were also invited. Many tax collectors came. They were not always honest. Jesus did not dislike anyone so He accepted Levi's invitation and feasted with all the guests. But look! Some angry men came to the house of Levi. They were teachers of God's Word. They thought they were very important. They were upset that Jesus was meeting with the cheaters. They could not understand what Jesus was doing. They looked at each other, filled with anger. Jesus explained that bad people needed God just like sick people need a physician but those who are healthy do not.

1. Who did Jesus feast with?
2. What happened next?
3. How did Jesus answer those who were angry?

Nowy Testament

Co tu widzisz?
Czy ci ludzie wyglądają na szczęśliwych? Czy spoglądają na Jezusa przyjaźnie?

What can you see?
Do these people look happy? Are they looking at Jesus kindly?

Cudowne uzdrowienie

Ewang. wg św. Jana 5:1-13

 Jerozolimie znajdowała się pewna sadzawka. Zbierali się nad nią chorzy ludzie. Siedzieli tam całymi dniami i czekali na cud. Bowiem od czasu do czasu zstępował z nieba anioł i poruszał wodę. Kto pierwszy wszedł wtedy do wody, zostawał uzdrowiony. Nad sadzawką leżał pewien człowiek, który chorował przez trzydzieści osiem lat. Nie było dla niego żadnego ratunku. Gdy pojawiał się anioł i poruszała się woda, nie było nikogo, kto mógłby go wrzucić. Pewnego dnia Jezus stanął nad chorym człowiekiem i ulitował się nad nim. Mężczyzna został uzdrowiony. Mógł chodzić, a nawet biegać. Jakże jest szczęśliwy. Zaraz pobiegnie do świątyni, podziękować Bogu za odzyskane zdrowie.

1. Ile lat chorował ten człowiek?
2. Kto go uzdrowił?
3. Czy ten człowiek podziękuje Bogu?

The Miraculous Healing

John 5:1-13

There was a pool in Jerusalem where the sick would gather. They would stay there all day long waiting for a miracle. From time to time an angel would come down and stir the water. Whoever came into the water first he would be healed. There was a man at the pool who had been sick for the last thirty eight years. Nobody would help him. Whenever the angel would come and stir the water there was no one would him into the pool. One day Jesus stopped beside the sick man and had mercy on him. The man was healed. He could walk and even run. How happy he was! He would run to the temple to thank God for his health.

 1. How many years had this man been ill?
2. Who healed him?
3. Will the man thank God?

Co tu widzisz?

Widzisz ten basen z wodą? Nie jest to basen do pływania. Z takich zbiorników ludzie czerpali kiedyś wodę i zanosili ją do domu. Wtedy nie było jeszcze wodociągów.

What can you see?

Can you see this pool of water? It is not a swimming pool. The people would draw water from it and take it home. There was not any water-supply systems then.

Dobry uczynek

Ewang. wg św. Mateusza 12:9-14

Czy widzisz, jak ten mężczyzna wyciąga rękę i patrzy na własną dłoń? Jeszcze niedawno ta ręka była zupełnie bezwładna. Ten człowiek nie mógł nią zupełnie nic robić. Bardzo trudno mu było żyć z takim kalectwem. Ciężko było pracować tylko jedną ręką. Jezus spotkał tego mężczyznę w synagodze. Gdy go zobaczył, uzdrowił jego rękę. Zobacz, jak szczęśliwy i zdziwiony jest ten człowiek! Jednak nie wszyscy byli zadowoleni z tego, co się stało. Tego dnia obchodzono święto. W taki dzień nie można było nic robić. Ludzie uważali, że Jezus uczynił źle, lecząc w ten świąteczny dzień. Lecz Jezus wiedział, że nie uczynił nic złego, bo dobre uczynki można spełniać każdego dnia. Jezus kocha ludzi i jest gotowy pomagać im codziennie. Pamiętaj o tym.

1. Co Jezus uczynił?
2. Czy wszyscy byli z tego zadowoleni?
3. Czy Jezus dobrze uczynił?

A Good Deed

Matthew 12:9-14

Can you see a man stretching out his arm and looking at his hand? Not long ago his arm was completely paralyzed. The man could not use it in any way. It was hard for him to live as a cripple. It was hard to work with just one hand. Jesus met the man in the synagogue. When He saw him, He healed his arm. Look how happy the man is! But not everyone was happy. It was a holiday that day. People were not supposed to work on such a day. The people thought Jesus did wrong to heal the man during the holiday. But Jesus knew He had done nothing wrong because good deeds should be done every day. Jesus loves people and He is ready to help them every day. Remember that.

1. What has Jesus just done?
2. Are all the people happy?
3. Did Jesus do right?

Co tu widzisz?
Ilu mężczyzn widzisz na tym obrazku? Czy wszyscy są szczęśliwi? Ilu jest niezadowolonych?

What can you see?
How many men can you see in the picture? Are they all happy? How many unhappy men are there?

Nauczanie z łodzi
Ewang. wg św. Marka 3: 7-12

zy wiesz, co Jezus robi w tej łodzi? Naucza ludzi, jak żyć, aby podobać się Bogu. Miałbyś ochotę być wśród tych ludzi na brzegu i słuchać razem z nimi? Coraz większe tłumy przychodziły na spotkania z Jezusem. Ludzie, którzy byli chorzy pragnęli być uzdrowieni, a zdrowi chcieli usłyszeć pouczające historie opowiadane przez Jezusa. Jezus znalazł czas dla każdego potrzebującego. Zwykli ludzie kochali Go i stale za Nim chodzili. Czasami było ich tak dużo, że nie można było znaleźć wolnego miejsca na trawie. Wtedy Jezus wsiadał do łodzi i przemawiał do tłumu. Mówił do ludzi tak pięknie i prosto, że wielu pokochało Jezusa. Ty także, gdy przeczytasz historie opowiadane przez Jezusa, na pewno pokochasz Go z całego serca i zostaniesz Jego przyjacielem.

1. Co Jezus robi w łodzi?
2. Czy ludziom podobały się historie Jezusa?
3. Czy chciałbyś być wśród tych ludzi?

Teaching from a Boat
Mark 3:7-12

Do you know what Jesus is doing in this boat? He is teaching people how to live to please God. Would you like to be with these people on the shore and listen? More and more people were coming to see Jesus. The sick ones wanted to be healed and the healthy ones wanted to listen to the inspiring stories that Jesus told. Jesus had time for every needy person. The ordinary people loved Him and followed Him everywhere. Sometimes there were so many of them that it was impossible to find place to sit on the grass. Then Jesus would get on a boat and give a speech. He spoke in such simple and beautiful words that many came to love Jesus. When you read the stories told by Jesus you will also fall in love with Him. You will become His friend.

1. What is Jesus doing in a boat?
2. Did the people like His stories?
3. Would you like to be with these people?

Co tu widzisz?

Widzisz tu wodę? Jest to wielkie jezioro. Nazywa się Genezaret. Jezus często nad nim przebywał. Nauczał i czynił wiele cudów.

What can you see?

Can you see the water? It is a big lake. It is called the Lake of Galilee. Jesus often walked along its shores. He taught the people and did many miracles.

Przyjaciele Jezusa
Ewang. wg św. Marka 3: 13-19

Czy możesz policzyć tych mężczyzn? Ilu ich jest? Jezus miał wielu przyjaciół i uczniów. Jednak spośród nich wybrał dwunastu, których nazwał swoimi apostołami. Byli to bracia Piotr i Andrzej, którzy byli wcześniej rybakami, a także inni bracia Jakub i Jan, też rybacy. Widzisz Mateusza? Wcześniej miał na imię Lewi i zbierał od ludzi podatki. Także Filip, Bartłomiej, Tomasz, Jakub, syn Alfeusza, Szymon Gorliwy i Judasz zostali wybrani przez Jezusa na Jego pomocników. Wszyscy ci mężczyźni porzucili swoje prace i poszli za Jezusem. Wierzyli oni szczerze, że Jezus jest Synem Bożym.

1. *Co ci mężowie robili dla Jezusa?*
2. *Co porzucili, aby pomagać Jezusowi?*
3. *Czy chciałbyś być pomocnikiem Jezusa?*

Jesus' Friends
Mark 3:13-19

Can you count all these men? How many men are there? Jesus had many friends and disciples. But He chose twelve and called them His apostles. There were Peter and Andrew, who had been fishermen formerly, and two brothers, James and John, also fishermen. Can you see Matthew? He used to be called Levi and he used to collect taxes from people. Philip, Bartholomew, Thomas, James son of Alphaeus, Simon the Zealot and Judas were also called by Jesus to be His helpers. They all quit their jobs and followed Jesus. They sincerely believed that Jesus was the Son of God.

1. *What did these men do for Jesus?*
2. *What did they quit to follow Jesus?*
3. *Would you like to become Jesus' helper?*

Co tu widzisz?

Przyjrzyj się twarzom tych dwunastu mężczyzn. Jak sądzisz, jacy to byli ludzie? Jeden z nich później zdradził Jezusa. Nazywał się Judasz. Czy możesz go odnaleźć?

What can you see?

Look at the faces of the twelve men. What kind of people were they, do you think? One of them betrayed Jesus later. His name was Judas. Can you find him?

Uzdrowienie sługi żołnierza

Ewang. wg św. Łukasza 7:1-10

W Kafarnaum żył pewien żołnierz. Był dobrym człowiekiem, wiele zrobił dla innych i ludzie go szanowali. Ten żołnierz miał sługę, którego bardzo cenił. Pewnego dnia człowiek ten ciężko zachorował. Nie pomagały mu żadne lekarstwa. Choć próbowano różnych sposobów leczenia, sługa był umierający. Żołnierz słyszał o Jezusie. Wiedział, że uzdrowił On wielu chorych. Jednak bał się sam podejść do Jezusa. Poprosił przyjaciół, by zrobili to za niego. Wiedział, że nie był dostatecznie dobrym człowiekiem i nie zasłużył na to, by Jezus odwiedził jego dom. Jednak wierzył w to, że wystarczy tylko jedno słowo wypowiedziane przez Jezusa, a sługa będzie zdrowy. Jezus był bardzo zdumiony tym, jak wielką wiarę posiada ten żołnierz, dlatego uzdrowił jego sługę.

1. Po czym można poznać żołnierza?
2. Jaką prośbę miał żołnierz do Jezusa?
3. Czy wierzył, że Jezus może to zrobić?

The Healing of a Soldier's Servant

Luke 7:1-10

A certain soldier lived in Capernaum. He was a good man. He did many good things for others and the people respected him. The soldier had a servant whom he valued very much. One day the servant fell ill. No medicine could help him. Even though they tried different treatments he was dying. But the soldier heard about Jesus. He knew Jesus had healed many sick people. But he was afraid to go to Jesus personally. He asked his friends to do it on his behalf. He knew he was not good enough to have Jesus come to his house. But he believed that one word of Jesus was enough to heal his servant. Jesus was surprised how big that soldier's faith was and He healed the servant immediately.

1. How can you tell that someone is a soldier?
2. What was the soldier's request to Jesus?
3. Did he believe that Jesus could do it?

Co tu widzisz?

Czy możesz tu odszukać wóz? Czy widzisz konia, który stoi obok wozu?
Jak myślisz, czy ten wóz z koniem należy do Jezusa? A może do przyjaciół
Jezusa? Czy też sądzisz, że należy do tego żołnierza? Dlaczego tak myślisz?

What can you see?

Can you find a chariot in the picture? Do you see a horse with the chariot?
Do you think that the chariot and the horse belong to Jesus? Maybe to His
friends? Or is it the soldier's chariot? Why do you think so?

Uciszenie burzy

Ewang. wg św. Marka 4: 35-41

J ezus przez wiele godzin nauczał ludzi i uzdrawiał chorych. Wieczorem był zmęczony i chciał odpocząć. Wsiadł razem z uczniami do łodzi, aby przepłynąć na drugi brzeg. Gdy tak płynęli, Jezus zapadł w sen. Była piękna pogoda, na niebie świeciły gwiazdy. Wtem zerwała się straszna burza. Na morzu powstały ogromne fale, które przelewały się przez łódź. Uczniowie byli przerażeni, a Jezus ciągle spał. Nagle łódź uniosła się na fali i runęła w dół. Uczniowie zaczęli budzić Jezusa, błagając o ratunek. Jezus otworzył oczy. Był zdumiony, że uczniowie zapomnieli o Jego wielkiej mocy. Jezus wstał i przemówił do wichru i fal, a one usłuchały Go i ucichły. Zapanował spokój. Nie było śladu po niedawnej burzy. Moc Jezusa była większa niż siła przyrody.

1. Gdzie znajduje się Jezus i Jego uczniowie?
2. Co się wydarzyło?
3. Czego bali się uczniowie?

The Calming of the Storm

Mark 4:35-41

Jesus had been teaching and healing people for many hours. Finally He got tired and wanted to rest. He got on a boat together with his disciples in order to go to the other side of the lake. When they were sailing Jesus fell asleep. The weather was nice. The stars were twinkling in the sky. Suddenly a terrible storm broke out. The huge waves were crashing into the boat. The disciples were afraid but Jesus was calmly sleeping. Suddenly a wave raised the boat up and tossed it down. The disciples woke Jesus up begging Him for help. Jesus opened His eyes. He was surprised that they had forgotten about His great power. He stood up and spoke to the wind and the waves. They obeyed Him and suddenly everything was peaceful once more. There wasn't any trace of the storm left. The power of Jesus was greater than the power of nature.

1. Where is Jesus and His disciples?
2. What has happened?
3. What were the disciples afraid of?'

Co tu widzisz?

Po czym poznajesz, że wieje wiatr? Przyjrzyj się falom. Zobacz, co się dzieje z ubraniami ludzi. Spójrz, jak wygląda żagiel.

What can you see?

How can you tell that the wind is blowing? Look at the waves. Look at the people's clothes. And look at the sail.

Uzdrowienie córeczki Jaira

Ewang. wg św. Marka 5: 21-24, 35-43

dy Jezus przypłynął łodzią na drugi brzeg, znowu zebrał się tłum ludzi. Nagle spośród nich wybiegł człowiek, imieniem Jair. Na jego twarzy malowała się rozpacz. Upadł Jezusowi do nóg i prosił błagalnie o ratunek dla jego umierającej córeczki. Jezus nikomu nie odmawiał. Nie odmówił też Jairowi. Wyruszyli natychmiast. Nagle Jair ujrzał swoich służących biegnących do niego. Zrozumiał, że już za późno na ratunek. Jakże był zrozpaczony. Ale Jezus wyglądał, jakby tego nie zauważył. Szedł w stronę domu Jaira. Dziewczynka leżała martwa w swoim pokoju. Miała zaledwie dwanaście lat. Jezus usiadł na brzegu łóżka. Wziął dziecko za rękę i rzekł:„ Dziewczynko, wstań". Spójrz, dziewczynka siada. Ona znowu żyje! Jakże szczęśliwa jest ta rodzina. Nigdy nie zapomną tego, co Jezus dla nich uczynił.

1. *Co stało się z tą dziewczynką?*
2. *Co uczynił Jezus?*
3. *Czy chciałbyś zobaczyć to na własne oczy?*

Jairus' Daughter Healed

Mark 5:21-24, 35-45

When Jesus got to the other side of the lake a big crowd of people gathered again. Suddenly a man named Jairus ran up to Jesus. He was desperate. He fell at Jesus' feet and begged Him to help his dying daughter. Jesus never refused anyone. He did not refuse Jairus. So they went to his house. Then Jairus saw his servants running toward him. He realized that it was too late. How miserable he was. But Jesus did not seem to notice that. He continued walking to Jairus' house. The girl lay dead in her room. She was just twelve. Jesus sat on the edge of her bed. He took her by the hand and said, „Little girl, get up." And look, the girl has gotten up. She is alive again. How happy her whole family is! They would never forget what Jesus did for them.

1. *What happened to the girl?*
2. *What did Jesus do?*
3. *Would you like to see something like that with your own eyes?*

Co tu widzisz?
Ta dziewczynka ma dwanaście lat. Pokaż jej matkę i ojca.
Kto jeszcze jest z nimi?

What can you see?
This girl is twelve years old. Point out her mother and
father. Who else is there with them?

Nakarmienie pięciu tysięcy

Ewang. wg św. Marka 6: 30-44

Czy twoja mama zaprosiłaby pięć tysięcy ludzi na obiad? Z pewnością nie miałaby tyle pożywienia, aby wszystkich nakarmić. Tak samo było wtedy, gdy Jezus chodził po ziemi. Na łące zebrało się pięć tysięcy ludzi, aby słuchać słów Jezusa. Szybko minął dzień, zapadała noc. Ludzie byli głodni, a wokół nie było żadnych sklepów. Było tylko pięć chlebów i dwie ryby. Starczyłoby tego dla kilku osób. Spójrz, mały chłopiec oddaje pożywienie, które matka przygotowała dla jego rodziny. Jezus wziął te dary i podziękował za nie Bogu. Potem łamał chleb i odłamywał po kawałku ryby, a jedzenia wcale nie ubywało. W ten sposób nakarmił pięć tysięcy ludzi. Starczyło dla wszystkich, a pozostałymi okruchami napełniono jeszcze dwanaście koszy. To był prawdziwy cud.

1. Co Jezus dał do jedzenia tym ludziom?
2. Kto daje ci pożywienie każdego dnia?
3. Czy dziękujesz Bogu za to?

The Feeding of the Five Thousand

Mark 6:30-44

Would your mother invite five thousand people for dinner? She would not have enough food to feed them all. It was like this when Jesus walked on the earth. Five thousand people gathered in a meadow to listen to Jesus' words. The day passed by quickly, the night was falling. The people were hungry and there was nowhere to buy any food. There were just five loaves of bread and two fish. It would be just enough for a few people. Look, this little boy is giving away the food which his mother had prepared for his family. Jesus took the gift and thanked God. Then He broke the bread and fish. And it turned out that there was enough food for everyone. Five thousand people were fed. They also filled twelve baskets with the leftovers. It was a real miracle.

1. What did Jesus give these people to eat?
2. Who gives you food everyday?
3. Do you thank God for it?

Co tu widzisz?
Czy jesteś w stanie policzyć wszystkich ludzi, którzy siedzą na trawie? Kto oddał Jezusowi swoje jedzenie? Czy widzisz rodziców tego chłopca?

What can you see?
Are you able to count all the people sitting on the grass? Who gave his food to Jesus? Can you see the boy's parents?

Boska moc Jezusa

Ewang. wg św. Mateusza 14: 22-33

Gdy wszyscy ludzie najedli się do syta, Jezus polecił uczniom, aby wracali na drugą stronę jeziora. Chciał zostać sam, aby w ciszy pomodlić się do Boga. Tymczasem uczniowie płynęli łodzią. Byli strasznie zmęczeni. Jezus z daleka widział ich i postanowił im pomóc. W pobliżu nie było żadnej łodzi. Nagle uczniowie ujrzeli jakąś postać idącą do nich po wodzie. Byli tak przerażeni, że zaczęli krzyczeć. W tej chwili usłyszeli głos Jezusa. Wprost nie mogli w to uwierzyć. Piotr chciał przyjść do Jezusa. Wyszedł z łodzi. Gdy patrzył ufnie na Jezusa, jego nogi stąpały po wodzie. Nagle rozejrzał się wokół i zrozumiał, że czyni coś niemożliwego. Wtedy zaczął tonąć, błagając Jezusa o ratunek. A Jezus nie zostawił go bez pomocy. Piotr od tej pory wiedział, że ufając Jezusowi można dokonać rzeczy niemożliwych.

1. Dlaczego Jezus mógł chodzić po wodzie?
2. Dlaczego Piotr zaczął tonąć?
3. O czym dowiedział się Piotr?

The Divine Power of Jesus

Matthew 14:22-33

When all the people had eaten and were filled Jesus told the disciples to go across to the other side of the lake. Jesus wanted to be left alone to pray to God. The disciples were in the boat. They were very tired. Jesus saw them from far away and decided to help them. There weren't any boats nearby. Suddenly the disciples saw a figure walking toward them on the water. They were so scared that they screamed. Then they heard the voice of Jesus. They could not believe their eyes. Peter wanted to come to Jesus. He climbed out of the boat. As long as he confidently looked at Jesus, he walked on the water. But then he looked around and realized he was doing something impossible. He started to sink so he cried to Jesus for help. Jesus did not leave him without help. Since that moment Peter knew that if you trust Jesus you can do impossible things.

1. Why could Jesus walk on the water?
2. Why did Peter start to sink?
3. What did Peter learn?

Nowy Testament

Co tu widzisz?
Widzisz tych mężczyzn w łodzi? Ilu ich jest? Czy są zdziwieni tym, co się wydarzyło?

What can you see?
Can you see the men in the boat? How many men are there? Were they surprised by what had happened?

Kolejne uzdrowienia
Ewang. wg św. Marka 6:53-56

pójrz, jak tu jest dużo ludzi. Wszędzie, gdzie tylko Jezus się pojawiał, przychodziło mnóstwo osób. Wielu spośród nich było chorych. Wszyscy słyszeli o wspaniałych cudach, których dokonywał Jezus. Wiedzieli, że tylko On może ich uzdrowić. Choć widzieli wspaniałe rzeczy, które Jezus czynił, nie wiedzieli, że jest On Synem Boga. Czy to nie dziwne? A ty, czy wierzysz, że Jezus jest Synem Bożym? Czy wierzysz, że jest twoim Zbawicielem?

1.*Dlaczego ci ludzie przyszli do Jezusa?*
2.*Dlaczego tylko Jezus mógł ich uzdrowić?*
3.*Czy wierzysz, że Jezus jest Zbawicielem?*

More Healings
Mark 6:53-56

Look how many people there are. Wherever Jesus went a lot of people gathered around Him. Many of them were sick. They had all heard about the wonderful miracles which Jesus did. They knew He was the only one who could heal them. But even though they saw the wonderful things Jesus did, they did not believe that He was the Son of God. Wasn't it strange? And you, do you believe that Jesus is the Son of God? Do you believe that He is your Saviour?

1. *Why did these people come to Jesus?*
2. *Why was it only Jesus who could heal them?*
3. *Do you believe that Jesus is the Saviour?*

Co tu widzisz?

Jacy ludzie przyszli do Jezusa? Czy możesz znaleźć wśród nich dzieci? Czy widzisz mężczyznę z widłami? Gdzie jest kobieta z dzbanem na wodę? Kilku mężczyzn przyniosło ryby. Pokaż, którzy to są.

What can you see?

Who came to Jesus? Can you see any children among them? Can you see the man with a fork? Where is the woman with a water jug? Some men have brought the fish. Point them out.

Uzdrowienie cudzoziemki
Ewang. wg św. Mateusza 15:21-28

a nieszczęśliwa kobieta potrzebuje pomocy. Jej córka jest bardzo chora. Nikt nie może jej pomóc. W dzisiejszych czasach dziewczynka ta zostałaby zabrana do szpitala, gdzie jest dobra opieka i mocne lekarstwa. Na pewno szybko by wyzdrowiała. Cóż jej matka mogła zrobić? Przyszła do Jezusa chociaż mieszkała w innym kraju. Czy Jezus może uzdrowić kogoś, kto znajduje się tak daleko? Ta kobieta mocno wierzyła, że nie ma dla Jezusa rzeczy niemożliwych. Dlatego upadła Mu do stóp, prosząc Go o pomoc. Jezus był zdziwiony jej wielką wiarą. Taka wiara nie zdarzała się zbyt często. A co się stało z chorą dziewczynką? W tym momencie została uzdrowiona i mogła znowu cieszyć się życiem, a jej matka razem z nią, stale wspominając Jezusa z Nazaretu.

1. O co ta kobieta prosi Jezusa?
2. Czy Jezus ją wysłuchał?
3. Czy kobieta wierzyła Jezusowi?

The Healing of a Foreign Woman
Matthew 15:21-28

This miserable woman needs help. Her daughter is very ill. Nobody can help her. Nowadays she would be taken to a hospital with good medical care and medicine. She would be well soon. But what could her mother do then? She came to Jesus even though she lived in another country. Can Jesus heal someone one who is so far away? The woman deeply believed that nothing was impossible for Jesus. So she fell to His feet and asked Him for help. Jesus was surprised by her deep faith. He did not often see such faith. And what happened with the sick girl? She was instantly healed and she could enjoy her life together with her mother. They always remembered Jesus of Nazareth.

1. What is the woman asking Jesus for?
2. Did Jesus answer her?
3. Did the woman believe Jesus?

Co tu widzisz?

Kogo widzisz na tym obrazku? Czy sądzisz, że ten dom
stoi w mieście? Po czym poznajesz, że to miasto?

What can you see?

Whom can you see in the picture? Do you think this
house is in a city? How can you tell that this is a city?

Uzdrowienie głuchoniemego

Ewang. wg św. Marka 7: 32-37

Jezus dotarł do pewnego miasta, gdzie żył głuchoniemy człowiek. Jego życie było bardzo smutne. Nie słyszał ludzi, śpiewu ptaków ani szumu wiatru. Ponieważ nie słyszał, nie nauczył się też mówić. Jego przyjaciele nie mogli nawet go pocieszyć, bo nie rozumiał, co do niego mówią. Byli jednak ludzie, którzy dowiedzieli się, że niedaleko przebywa Jezus. Już wiedzieli, jak pomóc przyjacielowi. Zaprowadzili go do Jezusa. Chory zobaczył przed sobą kogoś, kto patrzył na niego z miłością. Jezus położył palce na uszach chorego, a potem dotknął jego ust. Wiedział co mu dolega. Po chwili chory odczuł jakiś szmer, a nagle usłyszał głosy ludzi i śpiew ptaków. Ogarnęła go wielka radość. Otworzył usta i mógł mówić! Mógł podziękować Jezusowi.

1. *Na co był chory ten człowiek?*
2. *Czy Jezus go uzdrowił?*
3. *Jak to zrobił?*

A Deaf-mute Man Healed

Mark 7:32-37

Jesus came to a certain town where a deaf-mute man lived. His life was very sad. He could not hear people's voices, or birds singing, or the wind rustling in the trees. Because he could not hear, he did not learn to speak. His friends could not comfort him because he did not understand what they were saying. But some people heard that Jesus was staying not far away. They could help their friend. They brought him to Jesus. The sick man saw someone who looked at him with love. Jesus put His fingers into his ears and then touched his mouth. He knew what his problem was. After a while the sick man first heard a murmur and then the people's voices and the birds singing. He was so happy. He opened his mouth and he could speak! He was able to thank Jesus.

1. *What was the matter with this man?*
2. *Did Jesus heal him?*
3. *How did He do it?*

Co tu widzisz?
Widzisz przyjaciół i sąsiadów tego człowieka? Czy możesz znaleźć dom na tym obrazku? Czy podoba ci się ta okolica?

What can you see?
Can you see this man's friends and neighbors? Can you see a house in the picture? Do you like the surroundings?

Rozmowa Jezusa z Piotrem

Ewang. wg św. Mateusza 16: 13-16

iewiele było chwil, gdy Jezus mógł porozmawiać na osobności ze swoimi uczniami. Ciągle towarzyszył im tłum ludzi. Wszyscy chcieli słuchać słów Jezusa. Chorzy prosili o uzdrowienie, a wokół biegały dzieci, które kochały Jezusa. Nadeszła w końcu chwila, gdy mogli być sami. Jezusa otacza dwunastu apostołów. Czy pamiętasz jeszcze ich imiona? Na pewno nie wszystkie. Jezus rozmawia z Piotrem. Pyta go o to, czy Piotr zdaje sobie sprawę, kim On jest. Piotr wie, że Jezus jest Synem Bożym. Wielu żyjących wtedy ludzi nie wiedziało o tym. Słyszeli o cudach, o wspaniałej mocy Jezusa, ale uważano Go raczej za jednego z proroków. Dzisiaj także nie wszyscy wierzą w Jezusa. Dlatego każdy z nas powinien mówić ludziom o Jezusie. Pamiętaj o tym.

1. Co Piotr powiedział Jezusowi?
2. Czy wierzysz, że Jezus jest Synem Bożym?
3. Czy rozmawiasz z innymi ludźmi o Jezusie?

Jesus Talks to Peter

Matthew 16:13-16

Jesus could not often talk to His disciples in private. They were always followed by large crowds. Everyone wanted to listen to Jesus. The sick asked for healing and the children who loved Jesus were running around. But at lat a moment came when they were finally alone. Jesus is among His twelve apostles. Do you still remember their names? Not all of them, I am sure. Jesus is talking to Peter. Jesus is asking him is he knows who He is. Peter knows that Jesus is the Son of God. Many people who lived then did not know it. They heard about the miracles and the wonderful power of Jesus, but they were sure that He was one of the prophets. Even today there are many people who do not believe in Jesus. That is why we need to tell people about Jesus. Don't forget.

1. What did Peter tell Jesus?
2. Do you believe that Jesus is the Son of God?
3. Do you tell other people about Jesus?

Co tu widzisz?

Czy widzisz tę górę w oddali? Nazywa się ona Hermon. Ta góra często pokryta jest śniegiem. W naszych czasach na tej górze ludzie jeżdżą na nartach.

What can you see?

Can you see the mountain in the distance? It is Mount Hermon. This mountain is often covered with snow. These days people often go skiing there.

Przemienienie Jezusa
Ewang. wg św. Mateusza 17: 1-9

ewnego dnia Jezus przywołał do siebie Piotra, Jakuba i Jana. Wszedł z nimi na wysoką górę i modlił się aż do zachodu słońca. Uczniowie poczuli się zmęczeni i zasnęli mocnym snem. Nagle obudziło ich jasne światło. Zobaczyli przed sobą Jezusa, który wyglądał inaczej niż zwykle. Jego twarz promieniała blaskiem, a szaty stały się lśniąco białe. Nagle ukazało się dwóch mężów. Uczniowie rozpoznali w nich Mojżesza i Eliasza. Obaj rozmawiali z Jezusem. Uczniowie poczuli się jak w niebie. Było im tak dobrze. Nagle pojawił się obłok, który zasłonił Jezusa, Mojżesza i Eliasza. A uczniowie usłyszeli głos Boga. Gdy obłok zniknął, uczniowie ujrzeli samego Jezusa. Wyglądał tak, jak zwykle. Lecz Piotr, Jakub i Jan nigdy nie zapomnieli tego, co zobaczyli.

1. Co tu się wydarzyło?
2. Kim są ci dwaj mężowie w białych szatach?
3. Jak poczuli się uczniowie, gdy to zobaczyli?

The Transfiguration of Jesus
Matthew 17:1-9

One day Jesus took Peter, James and John and they climbed a high mountain. Jesus prayed there till sunset. The disciples were tired and fell asleep. Suddenly a bright light woke them up. They saw Jesus in front of them but He looked different than usual. His face was radiant and His clothes were bright white. Two men appeared with Him. The disciples recognized Moses and Elijah. They talked to Jesus. The disciples felt like they were in heaven. It was so good to be there. Suddenly a cloud covered Jesus, Moses and Elijah. The disciples heard the voice of God. When the cloud disappeared, the disciples saw Jesus alone. He looked like usual. But Peter, James and John never forgot what they had seen.

1. What happened here?
2. Who are the men in the white garments?
3. What did the disciples feel when they saw everything?

Co tu widzisz?

Jezus pokazuje teraz Piotrowi, Jakubowi i Janowi, że jest kimś więcej niż człowiekiem. Jest Synem Bożym. Dlatego właśnie jaśnieje jak słońce. To światło jest o wiele mocniejsze niż można to namalować na obrazku.

What can you see?

Jesus has shown Peter, James and John that He is more than a man. He is the Son of God. That is why He is as bright as the sun. The light was much stronger than the one in the picture.

Kto jest najważniejszy
Ewang. wg św. Mateusza 18:1-5

J ezus wędrował ze swoimi uczniami z jednego miasta do drugiego. Szedł szybkim krokiem, a Jego przyjaciele co chwilę przystawali, rozmawiając ze sobą. W końcu zaczęli się kłócić. Spierali się o to, kto z nich jest najważniejszy. Nie spodziewali się, że Jezus wie, o czym oni rozmawiają. Gdy dotarli na miejsce, Jezus spojrzał na nich smutnym wzrokiem. Uczniowie, zawstydzeni, opuścili głowy. Jezus usiadł i tłumaczył im, kto będzie najważniejszą osobą w Jego królestwie. Będzie to ktoś, kto nigdy nie myśli o sobie, lecz usługuje innym. Potem Jezus wziął na kolana dziecko, które kręciło się koło Niego. Dał uczniom do zrozumienia, że dorośli powinni być jak dzieci. I jak dzieci ufać Jezusowi i kochać Go bezgranicznie.

1. O co pokłócili się uczniowie?
2. Co powiedział im Jezus?
3. Czy postępujesz tak, jak chce Jezus?

Who Is the Most Important Person
Matthew 18:1-5

Jesus walked with His disciples from one town to another. Jesus walked briskly and His friends would stop once in a while to talk. Finally they began to quarrel. They argued about who was the most important person among them. They did not expect that Jesus knew what they were talking about. When they finally reached their destination Jesus looked at them sadly. The ashamed disciples hung their heads down. Jesus sat down and explained who would be the most important person in His Kingdom. This would be someone who does not think about himself but serves others. Jesus took a child who was playing around and took him into His lap. He explained to them that grown-ups should be like children. They should trust Him and love Him as children do.

1. What did the disciples quarrel about?
2. What did Jesus tell them?
3. Do you behave like Jesus wants you to behave?

Co tu widzisz?

Czy jesteś w stanie ujrzeć wioskę widoczną w oddali?
Czy możesz zobaczyć również górę?

What can you see?

Can you see the village in the distance? Can you see the
mountain also?

Obowiązek przebaczania
Ewang. wg św. Mateusza 18: 21-35

Jezus rozmawiał z Piotrem o obowiązku przebaczania. Opowiedział mu historię o bogatym królu, który miał wielu służących. Król ten był dobrym człowiekiem, często pożyczał im swoje pieniądze. Jeden sługa był mu winien dużą sumę. Gdy nadszedł czas zwrotu długu, król wezwał go do siebie. Sługa błagał o przesunięcie terminu zwrotu długu, gdyż nie miał z czego oddać. Król, widząc jego rozpacz, darował mu cały dług i puścił go wolno. Szczęśliwy sługa wesoło wybiegł z pałacu. Lecz na dziedzińcu spotkał przyjaciela, który był mu winien małą sumkę. Zaczął dusić go i żądać pieniędzy, a gdy ten nie oddał mu, wtrącił go do więzienia. Król bardzo się rozgniewał, gdy usłyszał co się stało. Jego żołnierze prowadzą do więzienia człowieka, który nie umiał przebaczać.

1. *Dlaczego król się rozgniewał?*
2. *Czy ty wybaczasz innym?*
3. *Czy chciałbyś, aby Bóg ci wybaczał?*

The Need to Forgive
Matthew 18:21-35

Jesus talked to Peter about the need to forgive. He told him a story about a rich young king who had many servants. The king was a good man and he often lent money to his servants. One of his servants owed him a lot. When the time came to return the money the king called for him. The servant begged the king for more time because he was not able to pay. The king, seeing his despair, canceled his debt and let him go free. All excited, the servant ran out of the palace. In the courtyard he met a friend who owed him a little sum of money. He started to strangle him and demanded that he pay his debt. But since the other servant was not able to pay he had him imprisoned. The king got very angry when he heard what had happened. His soldiers are leading the man who would not forgive to jail.

1. *Why did the king get angry?*
2. *Do you forgive others?*
3. *Would you like God to forgive you?*

Co tu widzisz?

Widzisz tego człowieka pomiędzy żołnierzami? Winien był królowi dużo pieniędzy. Król darował mu jego dług. Ale on sam nie chciał darować biednemu słudze, który winien mu był pieniądze. Wiesz teraz, dlaczego król się rozgniewał?

What can you see?

Can you see the man between the two soldiers? He owed the king a lot of money. The king canceled his debt. But he did not want to forgive the poor fellow servant who owed him a little money. Do you know now why the king got angry?

Uzdrowienie niewidomego

Ewang. wg św. Jana 9

en człowiek jest niewidomy. Jest ubogi, gdyż nie może pracować. Nie może zarobić pieniędzy. Za czasów Jezusa kalecy ludzie nie mogli znaleźć pracy. Dlatego chory musiał żebrać. Był bardzo nieszczęśliwy. Człowiek ten nawet nie wiedział, że jest ktoś, kto może przywrócić mu wzrok. Pewnego dnia Jezus szedł ze swoimi uczniami, a oni zwrócili uwagę na żebraka z wyciągniętą ręką, siedzącego przed bramą miasta. Spójrz! Jezus zawołał do siebie tego człowieka. Potem schylił się i rozmieszał błoto ze śliną. Tą śliną posmarował powieki niewidomego. I polecił mu obmyć się w pobliskiej sadzawce. Gdy chory człowiek uczynił to, stał się cud. Niewidomy od urodzenia zobaczył otaczających go ludzi, a przed sobą twarz Jezusa, który go uzdrowił.

1. Dlaczego ślepy mężczyzna nie pracował?
2. Co Jezus uczynił?
3. W jaki sposób to zrobił?

A Blind Man Healed

John 9

This man is blind. He is poor because he cannot get a job. He cannot earn money. In the days of Jesus disabled people could not find jobs. So the sick man had to beg for money. He was miserable. He did not even know that there was someone who could return his sight. One day Jesus and His disciples were walking and they noticed the beggar sitting at the city gate with his hand outstretched. Look! Jesus called the man to himself. Then he stooped and made some mud with His saliva. He put the mixture on the blind man's eyes. He told him to go the pool nearby and wash his eyes. When the blind did that a miracle happened. The man born blind could see the people around him and the face of Jesus who had healed him.

1. Why didn't the blind man work?
2. What did Jesus do?
3. How did He do it?

Co tu widzisz?
Pokaż na obrazku kilka rzeczy, które będzie mógł zobaczyć ten człowiek, gdy odzyska wzrok. Ile rzeczy ty możesz zobaczyć każdego dnia?

What can you see?
Point out the things in the picture which the blind man will be able to see when he gets his sight back. How many of them can you see every day?

Miłosierny Samarytanin

Ewang. wg św. Łukasza 10:25-37

Jezus opowiedział taką historię. Pewien człowiek udał się w podróż. Po drodze napadli go rozbójnicy i mocno pobili. Nieszczęśliwy człowiek jęczał z bólu. Potrzebował pomocy. Długo leżał w promieniach palącego słońca. Strasznie bolała go głowa, a usta wyschły z pragnienia. Gdy uniósł głowę, zobaczył idącego kapłana. Ten, gdy ujrzał go, przeszedł na drugą stronę drogi. Potem pojawił się sługa kapłana. On też nie pomógł rannemu. Nagle znowu usłyszał czyjeś kroki. Z trudnością otworzył oczy, ale zamknął je z powrotem. Ten człowiek to cudzoziemiec. Na pewno mu nie pomoże, myślał. Jednak to on pomógł rannemu. Opatrzył go, napoił i odwiózł do miasta. Tam zapewnił mu opiekę. Słuchający Jezusa już wiedzieli, że nikogo nie mogą odtrącać i każdemu należy się pomoc.

1. *Kim jest ten człowiek, który niesie rannego?*
2. *Czy ty pomagasz potrzebującym?*
3. *Czy pomógłbyś komuś, kogo nie lubisz?*

The Good Samaritan

Luke 10:25-37

Jesus told the following story. A man was traveling to Jericho. But some robbers attacked him and beat him up. The miserable man groaned with pain. He needed help. He lay a long time in the hot sun. His head was hurting and his lips were parched with thirst. When he lifted up his head a little bit he noticed a priest coming along. But when the priest saw him, he crossed over to the other side of the road. Next a priest's servant came along. He did not help the wounded man either. Then the man heard somebody else's steps. He opened his eyes with difficulty but quickly he closed them again. The coming man was a foreigner. „He won't help me," he thought. But he helped the wounded man. He dressed his wounds, gave him water and took him to the city. He found someone to take care of him there. The people who were listening to Jesus realized that they could not pass over anyone. Everyone deserves help.

1. *Who is the man carrying the wounded person?*
2. *Do you help the needy?*
3. *Would you help someone you do not like?*

Co tu widzisz?

Czy na tej drodze jest wielu ludzi, czy raczej jest to miejsce odludne?
Dlaczego rozbójnicy chętnie napadają w takim miejscu, jak to?

What can you see?

Are there many people on this road or is it rather a lonely place? Why
would robbers attack people in such a place?

Maria i Marta

Ewang. wg św. Łukasza 10:38-42

Gdy Jezus przebywał w Jerozolimie, bardzo lubił odwiedzać pewien dom. Mieszkały w nim dwie siostry, Maria i Marta ze swoim bratem Łazarzem. Bardzo kochali oni Jezusa i cieszyli się, gdy ich odwiedzał. Tak było i tym razem. Jezus usiadł przy stole, a Maria uklękła na podłodze, wsłuchując się w Jego słowa. Marta krzątała się po kuchni, gotując obiad. Była dobrą gospodynią i chciała przyjąć Jezusa najlepiej jak potrafiła. Patrzyła jak Maria słucha słów Jezusa. Ona też chciała się przyłączyć, ale nie miała czasu. W końcu zdenerwowała się i poprosiła Jezusa, aby zwrócił Marii uwagę. Odpowiedź Jezusa zaskoczyła Martę, ale pomogła jej zrozumieć, że słuchanie Jego słów i rozmowa z Nim są o wiele ważniejsze niż zajmowanie się codzienną pracą.

1. Która z sióstr była zajęta pracą domową?
2. Która z sióstr słuchała słów Jezusa?
3. Co Jezus uważał za ważniejsze?

Mary and Martha

Luke 10:38-42

Whenever Jesus came to Jerusalem He liked to visit a certain home. Two sisters, Mary and Martha, lived there with their brother Lazarus. They all loved Jesus very much and were very glad when Jesus visited them. It was so this time as well. Jesus sat at the table and Mary knelt on the ground listening to Him. Martha bustled around in the kitchen preparing dinner. She was a good hostess and she wanted to entertain Jesus as well as she could. She looked at Mary listening to Jesus. She wanted to join her but she did not have time. Finally she got angry and asked Jesus to rebuke Mary. Jesus' answer surprised Martha, but it helped her to realize that listening and talking to Jesus were much more important than everyday duties.

1. Which sister was busy with the housework?
2. Which sister listened to Jesus?
3. What did Jesus think was more important?

Co tu widzisz?

Czy widzisz miotłę w rękach Marty? Czy miotła twojej mamy wygląda podobnie? Czy ten dom przypomina twój?

What can you see?

Can you see a broom in Martha's hands? Does your mother's broom look like this one? Does this house resemble your house?

Prosta modlitwa

Ewang. wg św. Łukasza 11: 1-4

ażdego ranka, a także wieczorem, Jezus oddalał się od swoich uczniów i modlił się do Boga. Uczniowie często byli zmęczeni i bardzo potrzebowali snu. Jednak Jezus najbardziej potrzebował modlitwy. Uczniowie widzieli, że ludzie modlą się inaczej niż Jezus. Wszyscy robili to głośno i bardzo długo, w miejscach publicznych, by zwrócić na siebie uwagę. Jezus pomógł uczniom zrozumieć, że Bogu nie są miłe takie modlitwy. Bóg nie oczekuje długich i głośnych modlitw, bo zna serce każdego człowieka i wie, czego ta osoba potrzebuje. Jezus nauczył uczniów pięknej i prostej modlitwy. Możesz ją przeczytać w Biblii, a potem nauczyć się jej i codziennie modlić się do Boga.

1. Czy znasz już piękną modlitwę z Ewangelii wg św. Mateusza 6:9-13?
2. Czy chciałbyś nauczyć się tej modlitwy na pamięć?

A Simple Prayer

Luke 11:1-4

Each morning and evening Jesus would go away from the disciples and pray to God. The disciples were often tired and they needed much sleep. But Jesus needed prayer more. The disciples noticed that Jesus prayed differently than other people. Others would pray loud and long prayers in public places to draw attention to themselves. Jesus made the disciples realize that God did not like such prayers. God does not expect long and loud prayers because He knows the hearts of people and knows what everyone needs. Jesus taught His disciples a beautiful and simple prayer. You can read it in the Bible, then learn it by heart and pray it every day.

1. Do you know this beautiful prayer from the Gospel of Matthew 6:9-13 yet?
2. Would you like to learn it by heart?

Co tu widzisz?

Ilu widzisz uczniów? Czy widzisz tu wodę? Jest to bardzo duże jezioro, zwane Morzem Galilejskim. To tu Jezus dokonał kiedyś wielu cudów.

What can you see?

How many disciples can you see? Can you see any water here? It is a very big lake, called The Sea of Galilee. Jesus did many miracles in this place.

Zgubiona owca
Ewang. wg św. Łukasza 15: 3-6

iedna owieczka! Jeszcze niedawno pasła się bezpiecznie ze swoim stadem. Jadła trawkę, zerkając na swojego pasterza. Gdy poczuła się wystarczająco dorosła, oddaliła się od stada. Chciała zobaczyć, co znajduje się na drugim końcu pastwiska .Nagle zrobiło się ciemno. Owieczka spojrzała do tyłu, ale stada już nie było. Biegła szybko przed siebie, ale w ciemności spadła ze skały. Och, jak bolało! Może nawet złamała nóżkę? A pasterz był już w zagrodzie i liczył owce. Brakowało mu jednej owieczki. Dobry pasterz natychmiast wyruszył na poszukiwanie. Był już bardzo zmęczony, gdy wreszcie usłyszał ciche beczenie i uratował swoją owieczkę. Ten pasterz jest podobny do Jezusa, który opiekuje się nami i bardzo kocha każdego z nas. On jest naszym pasterzem, a my Jego owieczkami.

1. Dlaczego mała owieczka zgubiła się?
2. Kto ją odnalazł?
3. Czy Jezus jest twoim pasterzem?

The Lost Sheep
Luke 15:3-6

A poor sheep! Not long ago it was safe with its flock. It used to graze on the grass and look at the shepherd. But when the sheep felt it was big enough, it left the flock. The sheep wanted to see what it was like on the other side of the pasture. Suddenly the darkness fell. The sheep looked back but the flock was gone. The sheep started to run and fell off the cliff. Oh, how it hurt! Maybe it even broke its leg! And the shepherd was now at the sheep pen counting the sheep. One sheep was missing. The good shepherd went to hunt for the lost sheep immediately. He grew very tired but finally he heard the quiet bleating. He saved his sheep. The shepherd is like Jesus who takes care of us and loves each one of us. He is our good shepherd and we are His sheep.

1. Why did the little sheep get lost?
2. Who found it?
3. Is Jesus your shepherd?

Nowy Testament

Co tu widzisz?

Widzisz tego pasterza? Pokaż go. Widzisz małą owieczkę? Pokaż mi ją. Czy grozi jej niebezpieczeństwo?

What can you see?

Can you see the shepherd? Point him out. Can you see the little sheep? Point it out? Is it in any danger?

Syn marnotrawny

Ewang. wg św. Łukasza 15:11-24

Pewien ojciec miał dwóch synów. Starszy był dobry i pracowity, zaś z młodszym były stale kłopoty. Nie szanował swoich rodziców i nudził się w domu. Aż nadszedł dzień, gdy poprosił ojca o dużo pieniędzy i odszedł w daleki świat. Był bardzo zadowolony. Wydawał pieniądze i wyprawiał uczty dla swoich przyjaciół. Lecz pieniądze wkrótce się skończyły. Chłopiec zaczął cierpieć z głodu. Wreszcie zdecydował się wrócić do domu. Nie wiedział, czy ojciec wybaczy mu jego winy. Szedł pomału z pochyloną głową. Kochający ojciec bardzo tęsknił za swoim synem i codziennie wychodził na drogę, by wyglądać jego powrotu. Tak było i tego dnia. Ojciec stał przed domem, gdy nagle ujrzał swego syna. Wybiegł mu naprzeciw, wziął go w ramiona i wszystko wybaczył. Tak bardzo go kochał.

1. *Co złego uczynił ten chłopiec?*
2. *Czy ojciec mu wybaczył?*
3. *Czy podoba ci się ta historia?*

The Prodigal Son

Luke 15:11-24

A father had two sons. The elder was good and hard-working but the younger caused problems. He did not respect his parents and was bored at home. One day he asked his father for a lot of money and left for a faraway country. He was very happy. He spent his money and threw parties for his friends. But the money was soon gone. He began to starve. Finally he decided to go back home. He did not know if his father would forgive him. He walked slowly with his head hung down. His loving father missed his son very much and every day he would go out to look for his son. He did it that very day. The father was outside and suddenly he saw his son. He ran to him, hugged him and forgave him everything. He loved him so much

1. *What wrong did the son do?*
2. *Did his father forgive him?*
3. *Do you like this story?*

Nowy Testament

Co tu widzisz?

Spójrz, jak ten chłopiec jest ubrany. Co zauważyłeś? Dlaczego jego ubranie jest takie zniszczone? Czy widzisz łaty na szatach jego ojca? Dlaczego nie?

What can you see?

Have you noticed what the son is wearing? Why are his clothes so shabby? Can you see any patches on his father's clothes? Why not?

Wskrzeszenie Łazarza

Ewang. wg św. Jana 11: 1-45

Czy pamiętasz jeszcze Marię i Martę? Ich brat, Łazarz ciężko zachorował, był umierający. Siostry wiedziały, że tylko Jezus może mu pomóc. Dlatego przesłały Mu wiadomość. Zanim jednak Jezus dotarł do ich domu, Łazarz już zmarł. Siostry owinęły go w białe chusty i złożyły do grobu. Upłynęły już cztery dni. Gdy Jezus ujrzał rozpacz sióstr, sam też zapłakał, bo bardzo kochał Łazarza. Wszyscy razem podeszli do grobu, który był wykuty w skale, a jego wejście zasłaniał wielki głaz. Jezus rozkazał, by odrzucono kamień. Gdy to zrobiono, zaczął się modlić. Gdy skończył, zawołał głośno: „Łazarzu, wyjdź!" Zapadła cisza. Nagle pojawił się Łazarz. Gdy opadły z niego chusty wszystkim ukazała się jego szczęśliwa twarz. Był żywy i zupełnie zdrowy.

1. *Co tu się wydarzyło?*
2. *Czy Jezus ma władzę nad śmiercią?*
3. *Dlaczego Jezus ma taką moc?*

Lazarus Raised from the Dead

John 11: 1-45

Do you remember Mary and Martha? Their brother Lazarus was very sick. He was dying. His sisters knew that only Jesus could help him. So they sent Jesus a message. But before Jesus managed to get to their house, Lazarus died. His sisters wrapped him with white a cloth and put him in a tomb. Four days passed. When Jesus came and saw how sad Lazarus' sisters were, He cried because He also loved Lazarus. They all went to the tomb which was cut into a rock. There was a huge stone in front of the tomb. Jesus told the people to push the stone aside. When they did it He prayed. Then he called, „Lazarus, come out!" Silence fell. And then Lazarus came out! When the cloth was taken off, all the people saw his happy face. He was alive and well.

1. *What has happened here?*
2. *Does Jesus have power over death?*
3. *Why does Jesus have such power?*

Co tu widzisz?

Widzisz tę wielką jaskinię za Łazarzem? To jest grób. Tam pochowany był Łazarz. Pokaż chusty, którymi był owinięty. Tak dawniej chowano ludzi.

What can you see?

Can you see this big cave behind Lazarus? This is the tomb. Lazarus was buried there. Point at the cloth in which he was wrapped. This is how they used to bury people a long time ago.

Uzdrowienie dziesięciu trędowatych

Ewang. wg św. Łukasza 17:11-19

Czy wiesz, co to znaczy „trędowaty"? Jest to człowiek chory na straszną chorobę, zwaną trądem. Za czasów Jezusa trędowaci musieli trzymać się z daleka od innych ludzi. Musieli ostrzegać wszystkich przed swoim przybyciem do miasta. Nie było żadnego lekarstwa na trąd, a była to choroba bardzo zaraźliwa. Ludzie umierali na nią w samotności i w okrutnych bólach. Pewnego dnia Jezus przechodził przez okolicę, w której mieszkało dziesięciu trędowatych. Słyszeli oni o mocy Jezusa i marzyli o tym, by kiedyś Go spotkać. Gdy nadeszła taka chwila, przyszli do Jezusa i zostali uzdrowieni. Zaczęli skakać z radości i klaskać w dłonie. Popatrz, pobiegli pokazać się swoim rodzinom. Zapomnieli podziękować Jezusowi. Tylko jeden człowiek zawrócił i upadł do stóp Jezusa.

1. *Na jaką chorobę cierpieli ci mężczyźni?*
2. *Co Jezus dla nich uczynił?*
3. *Ilu z nich podziękowało Jezusowi?*

Ten Lepers Healed

Luke 17:11-19

Do you know the word „leper"? A leper is a person who has a disease called leprosy. In the days of Jesus lepers had to stay away from other people. They had to warn others when they were coming approaching a city. There was not any cure for leprosy and it was a highly infectious disease. Those people would die alone in pain. One day Jesus went by a place where ten lepers lived. They had heard about Jesus' power and they wished to be able to meet Him one day. When the moment came they went to Jesus and were healed. They jumped for joy and clapped their hands. Look, they are running to show themselves to their families. They forgot to thank Jesus. Only one man returned and fell at Jesus' feet.

1. *What disease did these men have?*
2. *What did Jesus do for them?*
3. *How many of them thanked Jesus?*

Co tu widzisz?

Czy widzisz tych mężczyzn, którzy jeszcze przed chwilą byli trędowaci? Co oni robią? O czym zapomnieli?

What can you see?

Can you see the men who were lepers just a moment ago? What are they doing? What have they forgotten to do?

Dwie modlitwy
Ewang. wg św. Łukasza 18: 9-14

ę historię Jezus opowiedział ludziom zarozumiałym. Takim, którzy uważali się za lepszych od innych. Dwóch ludzi modliło się w świątyni. Ten z przodu uważał, że jest bardzo dobrym człowiekiem. Modlił się głośno i wyliczał wszystkie swoje dobre uczynki. Nie prosił Boga o odpuszczenie grzechów. Uważał, że jest tak dobry, iż Bóg nie potrzebuje mu niczego wybaczać. Natomiast ten człowiek stojący w drzwiach świątyni wie, że zrobił wiele złego. Ze wstydu bał się podnieść głowę i wejść do środka. Bił się w piersi i błagał Boga o przebaczenie. Jak myślisz, czyja modlitwa podobała się Bogu? Kto był tym, któremu Bóg wybaczył?

1. Który mężczyzna prosił Boga o wybaczenie?
2. Czy sądzisz, że Bóg mu wybaczył?
3. Czy ty prosisz Boga o przebaczenie?

Two Prayers
Luke 18:9-14

Jesus told this story to some proud men, who thought that they were better than others. Two men were praying in the temple. The one in the foreground thought that he was a very good man. He prayed out loud and reminded God of all his good works. He did not ask God to forgive him his sins. He thought he was so good that God had nothing to forgive him. But the man standing in the doorway of the temple knows that he has done much wrong. He was so ashamed that he did not dare lift up his head and go further. He beat his chest and begged God to forgive him. Whose prayer, do you think, was pleasing to God? Whom did God forgive?

1. Which man asked God for forgiveness?
2. Do you think that God forgave him?
3. Do you ask God for forgiveness?

Nowy Testament

Co tu widzisz?
Czy wiesz, w jakim budynku znajdują się ci ludzie?
To jest Dom Boży. W jakim celu przyszli tutaj ci męż-
czyźni?

What can you see?
Can you recognize the building the men are in? This is
the House of God. Why did they come here?

Jezus i dzieci
Ewang. wg św. Marka 10:13-16

Spójrz, jaki to piękny obrazek. Jezus trzyma na ręku małą dziewczynkę. A pozostałe dzieci cieszą się, że mogą przebywać blisko Jezusa. Uczniowie nie są z tego zadowoleni. Martwią się o Jezusa. Chcą, aby mógł odpocząć w wolnej chwili. Są przekonani, że dzieci nic nie zrozumieją ze słów Jezusa. Zobacz, jakie uczniowie mają poważne miny. Starali się nie dopuścić dzieci do Jezusa. Jednak Jezus przywołał do siebie matki z dziećmi. Dzieci podbiegły do Jezusa. Chociaż widziały Go po raz pierwszy, zupełnie Go się nie bały. A Jezus brał je na ręce i błogosławił. Opowiadał im ciekawe historie. Chociaż dzieci nie rozumiały wszystkiego, jednak czuły, że Jezus je bardzo kocha. Czy ty wiesz, że Jezus kocha również ciebie?

1. Dlaczego uczniowie mają groźne miny?
2. Co odpowiedział im Jezus?
3. Czy wiesz o tym, że Jezus ciebie kocha?

Jesus and the Children
Mark 10:13-16

Look at this beautiful picture! Jesus is holding a little girl in His arms. The other children are glad that they can be close to Jesus too. The disciples are not happy about it. They are worried about Jesus. They want Him to rest. They think the children cannot understand what Jesus says. Look how serious their faces are. They tried to keep the children away from Jesus. But Jesus called the mothers with the children to himself. The children ran to Jesus. Even though they saw Him for the first time they were not afraid of Him. Jesus took them into His arms and blessed them. He told them many fascinating stories. Even though the children did not understand everything they felt that Jesus loved them very much. Do you know that Jesus loves you?

1. Why do the disciples look so serious?
2. What did Jesus say to them?
3. Do you know that Jesus loves you?

Co tu widzisz?

Czy widzisz na tym obrazku jakieś zabawki? Dlaczego dzieci są takie szczęśliwe? Policz, ile jest dzieci.

What can you see?

Can you see any toys in the picture? Why are the children so happy? Count how many children there are.

Bogaty młodzieniec
Ewang. wg św. Marka 10:17-31

en człowiek, który klęczy przed Jezusem jest bardzo bogaty. Możesz to poznać po jego szatach. Przybył do Jezusa, gdyż chciał być zbawiony. Był on dobrym człowiekiem. Przestrzegał wszystkich przykazań zawartych w Biblii. Nikomu nie zrobił żadnej krzywdy i nikt nie był przez niego nieszczęśliwy. Jednak człowiek ten nie wiedział, że istnieje coś ważniejszego niż przykazania. Nie wiedział, że jeśli chce po życiu na ziemi, być na zawsze w niebie, to musi kochać Jezusa i iść za Nim. Musi się wyrzec tego, co kocha najbardziej, czyli swoich pieniędzy. Czy wiesz, co ten człowiek zrobił, gdy zrozumiał, że jego życie nie jest doskonałe? Po prostu odszedł. Jezusowi było przykro. Jezusowi jest zawsze smutno, gdy ktoś kocha pieniądze bardziej niż Jego.

1. Czego pragnął ten młodzieniec?
2. Co Jezus mu odpowiedział?
3. Co zrobił ten bogaty młodzieniec?

The Rich Young Man
Mark 10:17-31

The man who is kneeling in front of Jesus is very rich. You can tell it by his clothes. He came to Jesus because he wanted to be saved. He was a good man. He obeyed all the commandments from the Bible. He never harmed anyone; he never made anybody unhappy. But he did not know there was something even more important than the commandments. He did not know that if he wanted to spend eternity in heaven he had to love Jesus and follow Him. He had to give up the thing he loved the most, his money. Do you know what he did when he realized that his life was not perfect? He just left. Jesus was sorry. Jesus is always sorry when someone loves money more than Him.

1. What did the young man want?
2. What did Jesus answer him?
3. What did he do?

Co tu widzisz?

Jak ubrany jest ten klęczący mężczyzna? Czy jego ubiór jest taki sam, jaki noszą ludzie w dzisiejszych czasach? Czy widzisz dom? Pokaż mi go.

What can you see?

How is the man who is kneeling dressed? Do people wear similar clothes nowadays? Can you see the house? Point it out, please.

Spór o pierwszeństwo

Ewang. wg św. Marka 10:35-45

Jezus miał wielu przyjaciół. Ale tylko dwunastu z nich było Jego szczególnymi pomocnikami. Porzucili oni swoją pracę i poszli za Jezusem. Szli wszędzie, dokądkolwiek On się udawał. Byli świadkami wielu cudów, dlatego poczuli, że są dla Jezusa kimś szczególnym. Pewnego dnia, dwaj z nich, Jakub i Jan, poprosili Jezusa, aby zrobił z nich bardzo ważnych ludzi. Chcieli być ważniejsi od pozostałych uczniów. Jezusa zmartwiły takie słowa. Wytłumaczył uczniom, że ludzie, którzy są Jego pomocnikami, nie mogą panować nad innymi. Muszą wykonywać dobrze swoją pracę, a wtedy są ważnymi ludźmi dla Jezusa. My także musimy zrozumieć, że jeśli jesteśmy ważni dla Jezusa, to jest to najlepsze ze wszystkiego.

1. O co Jakub i Jan prosili Jezusa?
2. Co Jezus im odpowiedział?
3. Czy chciałbyś być pomocnikiem Jezusa?

Who Will Be the Greatest

Mark 10:35-45

Jesus had many friends. But only the Twelve were His special helpers. They left their jobs and followed Jesus. They walked with Him wherever He went. They witnessed many miracles so they thought they were special to Jesus. One day two of them, James and John, asked Jesus to make them very important people. They wanted to be more important than the other disciples. Jesus was sad when he heard their request. He explained to the disciples that those who want to be His helpers should not rule over the others. They were just to do their job well and then they would be important to Jesus. We have to remember that if we are important to Jesus this is what matters the most.

1. What did James and John ask Jesus for?
2. What did Jesus answer them?
3. Would you like to be Jesus' helper?

Co tu widzisz?
Na tym obrazku widzisz Jezusa i Jego dwóch przyjaciół.
Jak sądzisz, co to za miejsce?

What can you see?
You can see Jesus and two of His friends. Where do you
think they are?

Uzdrowienie Bartymeusza

Ewang. wg św. Marka 10:46-52

en niewidomy ma na imię Bartymeusz. Całe życie był bardzo smutny, bo był niewidomy. Nie mógł pracować. Musiał siedzieć przy drodze i żebrać, aby nie umrzeć z głodu. Biedny Bartymeusz! Żaden lekarz nie umiał przywrócić mu wzroku. Bartymeusz słyszał o Jezusie. Wiedział, że tylko On może go uzdrowić. Jednak Jezus jeszcze nigdy nie przyszedł do miasta Jerycho, w którym mieszkał Bartymeusz. Pewnego dnia niewidomy usłyszał wielki hałas. Zbliżał się tłum ludzi. Bartymeusz dowiedział się, że zbliża się Jezus. Wtedy zaczął głośno błagać o uzdrowienie. Jezus usłyszał jego wołanie. Wezwał go do siebie i uzdrowił. Bartymeusz odzyskał wzrok. Padł przed Jezusem na kolana i gorąco Mu dziękował.

1. *Czego potrzebował Bartymeusz?*
2. *Czy Bartymeusz podziękował Jezusowi?*
3. *Czy dziękujesz Bogu za to, że widzisz?*

Bartimaeus Healed

Mark 10:46-52

This blind man's name is Bartimaeus. He was miserable all his life because he was blind. He could not work. He had to sit at the road and beg in order not to starve to death. Poor Bartimaeus! No physician could give him his sight back. Bartimaeus heard about Jesus. He knew that only Jesus could heal him. But Jesus had never come to Jericho where Bartimaeus lived. One day the blind man heard the noise. A crowd of people was coming toward him. Bartimaeus knew that Jesus was among them. So He began to shout to Jesus to heal him. Jesus heard his cry. He told Bartimaeus to come to Him and He healed him. Bartimaeus got his sight back. He fell on his knees before Jesus and thanked Him warmly.

1. *What was Bartimaeus' need?*
2. *Did Bartimaeus thank Jesus?*
3. *Would you like to be Jesus' helper?*

Co tu widzisz?

Opowiedz mi, co widzisz na tym obrazku. Czego nie mógł zobaczyć Bartymeusz, gdy był jeszcze niewidomy?

What can you see?

Tell me what you can see in this picture. What were the things that Bartimaeus could not see when he was still blind?

Celnik Zacheusz
Ewang. wg św. Łukasza 19:1-10

W mieście Jerycho mieszkał jeszcze ktoś, kto bardzo chciał zobaczyć Jezusa. Był to Zacheusz, który był celnikiem. Zbierał on podatki, a przy tym oszukiwał ludzi. Był bardzo bogaty, ale samotny, bo nikt go nie lubił. Zacheusz wiedział, że Jezus nie odtrąca grzeszników i koniecznie chciał Go spotkać. Był jednak bardzo niski i w tłumie nie mógł nic zobaczyć. Dlatego wszedł na drzewo. Teraz na pewno zobaczy Jezusa, gdy będzie On przechodził pod drzewem. Był pewny, że nikt go nie zobaczy. Jednak Jezus zatrzymał się pod drzewem i przywołał Zacheusza. A potem gościł w domu celnika, wybaczył mu grzechy i uczynił swoim przyjacielem. Zacheusz nie był już samotny, gdyż Jezus wybaczył mu całe zło i uczynił szczęśliwym człowiekiem.

1. Dlaczego Zacheusz siedzi na drzewie?
2. Co Jezus mu powiedział?
3. Czy często prosisz Jezusa o przebaczenie?

Zacchaeus, the Tax Collector
Luke 19:1-10

Someone else lived in Jericho who wanted to see Jesus very much. His name was Zacchaeus, a tax collector. He collected taxes and cheated people. He was very rich but lonely because nobody liked him. Zacchaeus knew that Jesus did not ignore sinners so he wanted to see him very much. But he was too short to see over the crowd. So he climbed up into a tree. From there he would see Jesus passing under the tree. He was sure nobody would see him. But Jesus stopped at the tree and called Zacchaeus down. And then He went to his house, forgave him all his sins and made him His friend. Zacchaeus was not lonely any more because Jesus forgave him all the wrong he had done and made him a happy man.

1. Why is Zacchaeus hiding in the tree?
2. What did Jesus tell him?
3. How often do you ask Jesus for forgiveness?

Co tu widzisz?

Pokaż mi Zacheusza siedzącego na drzewie. Ile osób widzisz jeszcze na obrazku? Pokaż Jezusa.

What can you see?

Point at Zacchaeus hiding in the tree. How many people can you see in the picture? Point at Jesus.

Niedziela Palmowa

Ewang. wg św. Mateusza 21:1-9

Zbliżało się święto Paschy. Mieszkańcy idący ulicami Jerozolimy, ujrzeli Jezusa jadącego na osiołku. Szło za Nim mnóstwo ludzi. Wszyscy byli przekonani, że Jezus podąża do Jerozolimy, aby zostać królem. Ludzie bardzo się z tego cieszyli. Widzieli cuda, które czynił i byli przekonani, że Jezus, jako król, pokona ich wszystkich wrogów. Rozkładali przed Jezusem swoje szaty i radośnie wymachiwali palmowymi gałązkami, trzymanymi w dłoniach. Wszyscy klaskali na cześć Jezusa i wznosili radosne okrzyki. Był to sposób, w który ludzie witali nowego króla. Mieszkańcy wiedzieli o wielkiej mocy Jezusa. Oczekiwali, że uczyni ich kraj potężnym, a oni staną się bogatymi ludźmi. Tylko Jezus jest smutny. Wie o tym, że już niedługo ci sami ludzie wydadzą Go na śmierć.

1. Co robią ci ludzie?
2. Dlaczego są tacy szczęśliwi?
3. A dlaczego Jezus jest smutny?

Palm Sunday

Matthew 21:1-9

The Passover celebration was getting near. The people of Jerusalem saw Jesus riding on a donkey. Many people followed Him. They all though that Jesus was going to Jerusalem to become king. They were very happy. They had seen the miracles He had done and they were sure that as the king Jesus would defeat all their enemies. They spread their coats in front of Jesus. They joyfully waved the palm tree branches. They all clapped their hands and shouted with joy. In this way they welcomed their new king. They knew about Jesus' great power. They thought that Jesus would make their country powerful and they would be rich. Only Jesus is sad. He knows that soon the same people will deliver Him over to death.

1. What are the people doing?
2. Why are they so happy?
3. Why is Jesus sad?

Co tu widzisz?

Co robią ludzie, aby powitać Jezusa? Pokaż tych, którzy machają palmowymi gałązkami. Pokaż takich, którzy coś wołają lub śpiewają. Czy widzisz kogoś, kto rozkłada swój płaszcz na drodze?

What can you see?

What are the people doing to greet Jesus? Point out those who are waving the palm branches. Point out those who are shouting or singing. Can you see anyone who is spreading his coat on the road?

Nauczanie w Domu Bożym

Ewang. wg św. Mateusza 21: 10-27

Gdy Jezus przybył na osiołku do Jerozolimy, udał się prosto do Domu Bożego. Za czasów Jezusa Dom Boży nazywano świątynią. Ludzie przychodzili tam, aby oddawać cześć Bogu. Jezus bardzo lubił przebywać w domu swojego Ojca. A ludzie wchodzili za Nim do świątyni. Z ciekawością słuchali Jego opowieści o Bogu. Jezus opowiadał im o swojej ojczyźnie w niebie. Nie wszystkim to się podobało. Jezus miał wielu wrogów, jednak kochał wszystkich i przyszedł na świat, aby każdego zbawić. Czy ty chętnie słuchałbyś Jezusa, nauczającego w twoim kościele? Czy chodzisz tam chętnie w każdą niedzielę?

1. *Co Jezus robi?*
2. *Gdzie On się znajduje?*
3. *Czy chętnie chodzisz do Domu Bożego?*

Teaching in the House of God

Matthew 21:10-27

When Jesus entered Jerusalem He went to the House of God. In Jesus' days the House of God was called the temple. The people would go there to worship God. Jesus loved to be in His Father's house. His followers went with Him into the temple. They listened to His stories about God with interest. Jesus told them about His homeland in heaven. But not everybody liked it. Jesus had many enemies even though He loved all people and came to save everyone. Would you like to listen to Jesus' teaching at your church? Do you like going to church every Sunday?

1. *What is Jesus doing?*
2. *Where is He?*
3. *Do you like coming to the House of God?*

Co tu widzisz?
Czy ta świątynia wygląda tak, jak twój kościół? Czym ona się różni?

What can you see?
Does the temple look like your church? What is different?

Dary dla świątyni
Ewang. wg św. Marka 12:41-44

Czy w waszym kościele zbiera się pieniądze na tacę lub do koszyka? Pewnego dnia Jezus ze swoimi uczniami siedział w świątyni naprzeciw skarbony. Obserwował ludzi, którzy wrzucali pieniądze na ofiarę. Przychodzili bogaci mężczyźni, którzy wrzucali dużo pieniędzy. Brzękały one głośno, a bogacze rozglądali się wokół z dumnie podniesioną głową. Przychodziły także pięknie wystrojone kobiety, wrzucały srebrne i złote monety. Ludzie ci, chociaż wrzucali dużo pieniędzy do skarbony, po wyjściu ze świątyni nadal byli bogaci. Ale spójrz, do skrzyni podeszła biedna kobieta. Wrzuciła do skarbony zaledwie dwa małe pieniążki. Jednak Jezus wiedział o tym, że kobieta ta oddała na ofiarę najwięcej ze wszystkich. Oddała wszystko co posiadała. Tak bardzo kochała Boga.

1. Co tu się dzieje?
2. Co robi Jezus?
3. Dlaczego ta kobieta dała najwięcej?

Gifts for the Temple
Mark 12:41-44

Do they take up an offering of money onto a tray or into a basket in your church? One day Jesus and His disciples sat in the temple near the offering box. He watched as the people threw money into the box. The rich men gave lots of money. The coins clinked loudly and the rich men looked around with their heads lifted up with pride. The beautifully dressed women came and gave silver and gold coins. Even though they threw plenty of money into the offering box they were still rich. But look, a poor woman came to the box. She gave only two small coins. But Jesus knew that her offering was the biggest. She gave all she had. She loved God so much.

1. What is going on here?
2. What is Jesus doing?
3. Why was the woman's gift the biggest?

Co tu widzisz?

Pokaż pieniążek ubogiej kobiety. Jak myślisz, czy ten mężczyzna stojący za nią jest bogaty, czy biedny? Dlaczego tak myślisz? Czy widzisz na obrazku Jezusa?

What can you see?

Point out one of the coins of the poor woman. Do you think the man standing behind her is rich or poor? Why do you think so? Can you see Jesus in the picture?

Piękny dar Marii

Ewang. wg św. Jana 12:1-3

Co robisz, aby okazać komuś, że go kochasz? Ta kobieta zrobiła coś, czego ty zapewne nigdy nie robiłeś. Wylała ona na nogi Jezusa pachnący olejek. Polała nim też Jego głowę. Nie był to zwykły olejek. To były bardzo drogie perfumy. Czy pamiętasz jeszcze tę kobietę? To Maria, siostra Marty i Łazarza. Marta jak zwykle krzątała się koło stołu, a Maria słuchała, co mówi Jezus. Tylko ona odczuwała, że Jezus jest u nich po raz ostatni. Chciała więc uczynić coś, aby wyrazić swoją miłość do Niego. Przecież Jezus zrobił dla Marii i jej rodziny tyle dobrego. Po komnacie rozszedł się wspaniały zapach olejku. Maria namaściła nogi Jezusa i wytarła je swoimi włosami. Jezusowi podobał się jej piękny dar. Był szczęśliwy, że jest ktoś, kto okazuje Mu tak wielką miłość.

1. Co zrobiła Maria?
2. Dlaczego to zrobiła?
3. Jak możesz okazać komuś, że go kochasz?

Mary's Beautiful Gift

John 12:1-3

What do you do to show someone that you love him? This woman did something that you have probably never done. She poured some sweet smelling oil over Jesus' feet. She poured it over His head as well. It was not any ordinary oil. It was expensive perfume. Do you remember this woman? This is Mary, the sister of Martha and Lazarus. Martha was busy at the table as usual and Mary was listening to Jesus. Only she felt that Jesus was with them for the last time. She wanted to do something to express her love for Him. Why, Jesus had done so many good things for Mary and her family. The wonderful smell of the oil filled the room. Mary anointed Jesus' feet and wiped them with her hair. Jesus liked her beautiful gift. He was happy that there was someone who showed Him so much love.

1. What did Mary do?
2. Why did she do it?
3. How can you show someone that you love him?

Co tu widzisz?

Co znajduje się na stole? Czy widzisz flakonik z pachnącym olejkiem? Przyjrzyj się twarzom tych ludzi. Co one wyrażają?

What can you see?

What is there on the table? Can you see the bottle with the sweet smelling oil? Look at the faces of the people. What are they expressing?

Wspaniały przykład

Ewang. wg św. Jana 13:1-11

 ewnego wieczoru zanim uczniowie zasiedli do stołu, Jezus wziął ręcznik i nalał wody do miski. Potem ukląkł przed jednym z uczniów i zaczął myć mu nogi. Wszyscy byli ogromnie zdziwieni. Taką pracę wykonywali tylko słudzy i niewolnicy. Uczniowie uważali taką pracę za niegodną. Jezus umył nogi wszystkim uczniom, a oni byli bardzo zawstydzeni. Jezus zrobił to, aby uczniowie byli gotowi pracować jeden dla drugiego. Chciał im dać przykład i nauczyć ich służyć sobie nawzajem. Zrobił tak, aby uczniowie Go naśladowali. Bo każdy kto służy innym będzie błogosławiony przez Boga. Uczniowie zawstydzili się jeszcze bardziej, lecz słowa Jezusa głęboko zapadły im w serca. Teraz wszyscy byli już gotowi do spożycia wieczerzy.

1. Co robi Jezus?
2. Kto dawniej wykonywał taką pracę?
3. Czego Jezus chciał nauczyć uczniów?

A Wonderful Example

John 13:1-11

One night, before the disciples sat down at the table, Jesus took a towel and poured some water into a basin. Then He knelt in front of one of the disciples and began to wash his feet. They were all very surprised. This was a job for servants and slaves. The disciples thought that kind of work was demeaning. Jesus washed the feet of all the disciples and they were ashamed. Jesus did it to show them that they should serve one another. He wanted to give them an example and teach them to bless one another. He did it so the disciples would imitate Him. Because everyone who serves others will be blessed by God. The disciples were even more ashamed but Jesus' words went deep into their hearts. Now they were ready to eat supper.

1. What is Jesus doing?
2. Who usually did that kind of a job?
3. What did Jesus want to teach the disciples?

Co tu widzisz?

Co znajduje się w tej misce? Gdzie leży ręcznik? Co jeszcze widzisz w tym pokoju?

What can you see?

What is there in the basin? Where is the towel? What else can you see in this room?

Ostatnia Wieczerza

Ewang. wg św. Mateusza 26:26-29

Uczniowie, wspólnie z Jezusem, zasiedli do wieczerzy paschalnej. Jezus wiedział, że po raz ostatni przed swoją śmiercią przebywa z uczniami. Tego wieczoru Jezus mówił o swojej miłości do ludzi, o tym, że odda za nich swoje życie. Potem dał im nowe przykazanie, aby się wzajemnie miłowali. W czasie wieczerzy Jezus wziął chleb i podziękował za niego Bogu. A potem podzielił go między uczniów i rzekł: „Bierzcie i jedzcie! To jest ciało moje". A potem wziął kielich z winem, podziękował za nie Bogu i podał im, mówiąc: „Pijcie z niego wszyscy. To jest bowiem krew moja, krew Przymierza, która będzie wylana za wielu na odpuszczenie grzechów". Jezus chciał, aby oni czynili tak na Jego pamiątkę. Aby pamiętali, że Jezus umarł za każdego człowieka.

1. Co ważnego się tu wydarzyło?
2. Czy wiesz, że Jezus zmarł także za ciebie?
3. Czy chciałbyś być obecny podczas tej wieczerzy?

The Last Supper

Matthew 26:26-29

Jesus and His disciples gathered to celebrate the Passover supper. Jesus knew that it was the last time He had to spend with His disciples before His death. That evening Jesus told them about His love for the people and that He would give His life for them. Then He gave them a new commandment that they should love one another. During the supper Jesus took the bread and thanked God for it. Then He broke it apart, gave it to His disciples and said, „Take it and eat it! This is my body." Then He took the cup with wine, thanked God for it and gave it to them saying, „Drink from it, all of you. This is my blood of the covenant, which is poured out for many for the forgiveness of sins." Jesus wanted the disciples to do this to remember Him. They were to remember that Jesus died for every man.

1. What important thing happened here?
2. Do you know that Jesus died for you also?
3. Would you like to be there at this supper?

Nowy Testament

Co tu widzisz?

Po czym poznajesz, że jest to wieczerza? Co stoi na stole?
Czy wszyscy uczniowie Jezusa są razem z Nim? Judasza nie
ma z uczniami, bo postanowił zdradzić Jezusa.

What can you see?

How can you tell that it is supper? What is there on the table?
Are all the disciples of Jesus with Him? Judas is not among
the disciples because he has decided to betray Jesus.

Modlitwa w ogrodzie

Ewang. wg św. Mateusza 26:36-46

Jeszcze tej samej nocy Jezus przybył z uczniami do ogrodu oliwnego, zwanego Getsemani. Jezus wybrał trzech uczniów, Piotra, Jakuba i Jana. Odszedł z nimi trochę dalej. Chciał pomodlić się do Ojca. Ponieważ był bardzo smutny i odczuwał lęk przed śmiercią, nie chciał być sam. Uczniowie nie potrafili czuwać z Jezusem, stale zasypiali. Jezus był bardzo samotny w tych najtrudniejszych godzinach swojego życia. Lecz oto dało się słyszeć odgłosy nadchodzącego tłumu. Zbliżali się strażnicy świątyni, kapłani i żołnierze. A na czele pochodu szedł Judasz, jeden z apostołów. To on zdradził swojego Nauczyciela. Żołnierze rzucili się na Jezusa i pojmali Go. Uczniowie widząc, co się dzieje, rozbiegli się na wszystkie strony. Zostawili Jezusa samego.

1. Co Jezus tu robi?
2. Czy ty też chętnie modlisz się w samotności?
3. Kto zdradził Jezusa?

The Prayer in the Garden

Matthew 26:36-46

The same night, Jesus and His disciples went out to the Garden of Gethsemane. Jesus chose three disciples, Peter, James and John. They went a little distance away. Jesus wanted to pray to His Father. He was in distress and anguish. He was afraid of death and did not want to be alone. But the disciples could not keep watch with Jesus. They kept falling asleep. Jesus was very lonely during the most difficult hours of His life. But suddenly they all heard the noise of the crowd coming near. The temple guards and soldiers were coming. And Judas, one of the apostles, was leading them. He betrayed His Master. The soldiers grabbed Jesus and held Him. The disciples, seeing what was happening, ran away. They left Jesus alone.

1. What is Jesus doing here?
2. Do you like to pray alone?
3. Who betrayed Jesus?

Co tu widzisz?

Ile osób widzisz na tym obrazku? Gdzie są uczniowie Jezusa?

What can you see?

How many people can you see in the picture? Where are the disciples of Jesus?

Zaparcie się Piotra
Ewang. wg św. Łukasza 22:54-62

 en mężczyzna stojący przy ogniu, to Piotr. Był on jednym z najlepszych przyjaciół Jezusa. Gdy odnalazł w sobie odrobinę odwagi, poszedł za żołnierzami prowadzącymi więźnia. Stanął w bezpiecznej odległości i patrzył w stronę Jezusa, idącego na przesłuchanie. Piotr rozglądał się bojaźliwie dookoła, grzejąc ręce przy ognisku. Nagle został rozpoznany, jako jeden z uczniów. Zamiast przyznać się do przyjaźni z Jezusem, Piotr zaparł się Go. Zrobił to trzy razy. Gdy odwrócił się, ujrzał twarz Jezusa, który patrzył na niego ze smutkiem. W tym samym momencie zapiał kogut. Piotr zadrżał. Przypomniał sobie bowiem słowa Jezusa, że nie zdąży kogut zapiać o świcie, a Piotr zdąży trzy razy zaprzeć się swojego Mistrza. Ogarnęła go wielka rozpacz. Wybiegł na zewnątrz i gorzko zapłakał.

1. Dokąd poprowadzono Jezusa?
2. Co złego uczynił Piotr?
3. Czy żałował później tego co zrobił?

The Denial of Peter
Luke 22:54-62

The man standing near the fire is Peter. He was one of the closest friends of Jesus. When he mustered up his courage, he followed the soldiers who led the prisoner. He stood at a safe distance and watched Jesus being led away to be questioned. Peter looking fearfully around stood at the fire to warm up his hands. But someone recognized him as one of the disciples. Peter did not admit that he was a friend of Jesus but he denied Him. He did it three times. When he turned around he saw Jesus who sadly looked at him. Peter shuddered. He remembered what Jesus had told him. Jesus had said that before the rooster crowed at dawn, Peter would deny his Master three times. He fell into despair. He went away crying bitterly.

1. Where was Jesus led?
2. What did Peter do?
3. Was he sorry that he had done this?

Nowy Testament

Co tu widzisz?

Widzisz tego koguta na dachu? Kiedy kur zapiał, Piotr przypomniał sobie słowa Jezusa. Jezus już wcześniej wiedział, że Piotr trzykrotnie zaprze się Go, zanim nad ranem zapieje kogut.

What can you see?

Can you see the rooster on the roof? When the rooster crowed, Peter remembered the words of Jesus. Jesus knew beforehand that Peter would deny Him three times before the rooster crowed at dawn.

Jezus przed Piłatem
Ewang. wg św. Mateusza 27:11-26

Kapłani przyprowadzili Jezusa do rzymskiego namiestnika Piłata, który rządził ich krajem. Mieszkał on w pięknym pałacu. Aby Piłat mógł zatwierdzić wyrok, musiał się przekonać, że Jezus zasługuje na śmierć. Jednak nie znalazł w nim żadnej winy. Nie chcąc skazać Jezusa na śmierć, kazał Go ubiczować. Jednak ludzie, którzy jeszcze niedawno wznosili okrzyki na cześć Jezusa, teraz domagali się Jego śmierci. Piłat próbował jeszcze raz uwolnić Jezusa. Tego dnia odbywało się święto Paschy. Co roku był zwyczaj uwalniania jednego z więźniów. Piłat posłał żołnierzy do więzienia, aby przyprowadzili mordercę Barabasza. Był pewien, że w ten sposób uwolni Jezusa. Jednak lud wybrał Barabasza, a Jezus został skazany na straszną, powolną śmierć na krzyżu.

1. Czego chcą ci rozgniewani ludzie?
2. W jaki sposób Piłat próbował uwolnić Jezusa?
3. Co byś zrobił na miejscu Piłata?

Jesus Before Pilate
Matthew 27:11-26

The priests brought Jesus to the Roman governor, Pilate, who ruled their country. He lived in a beautiful palace. Pilate had to be convinced that Jesus deserved death. But he could not find Jesus guilty. He did not want to sentence Jesus to death so he had Him whipped. But the people, who had cheered Jesus just a few days ago, now demanded His death. Pilate tried to free Jesus one more time. It was the time of Passover and there was a custom to free one of the prisoners. Pilate sent some soldiers to prison to bring a murderer, Barabbas. Pilate was sure that the people would choose to free Jesus. But the crowd chose Barabbas and Jesus was sentenced to a slow, painful death on the cross.

1. What do these angry people want?
2. How did Pilate try to free Jesus?
3. What would you do if your were Pilate?

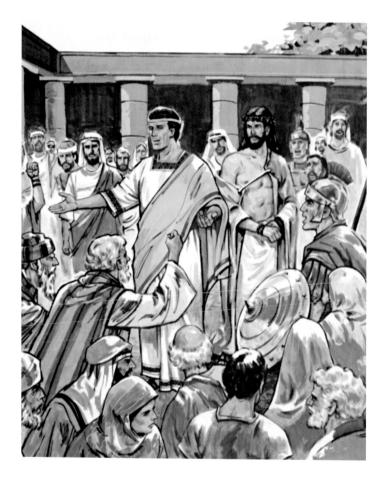

Co tu widzisz?

Pokaż, gdzie jest Jezus. Widzisz cierniową koronę na Jego głowie? Widzisz Jego związane ręce? Pokaż kilku rozgniewanych ludzi. Czy możesz odnaleźć tu Piłata?

What can you see?

Point at Jesus. Can you see the crown of thorns on His head? Can you see how His hands are tied up? Point out some angry people. Can you find Pilate here?

Śmierć na krzyżu
Ewang. wg św. Mateusza 27:38-66

Wyprowadzono Jezusa poza mury miasta, na wzgórze zwane Golgotą. Tam przybito Jezusa do krzyża. W ten sposób karano najgorszych zbrodniarzy. Ale dlaczego został ukarany Jezus? On nigdy nie zrobił niczego złego. Został jednak skazany za nasze grzechy. Bóg powinien ukarać nas za nasze złe czyny. Jezus jednak ukochał ludzi tak bardzo, że przyszedł z nieba, aby za nas ponieść karę. Jezus długo wisiał na krzyżu. Było południe. Słońce prażyło niemiłosiernie. Nagle zrobiło się całkiem ciemno. Przez trzy godziny Jezus wisiał na krzyżu w zupełnych ciemnościach. Czuł się opuszczony przez Boga. Gdy nadszedł czas zakończenia kary, Jezus zmarł. Dzieło zbawienia zostało dokonane. Droga do nieba została otwarta.

1. Dlaczego przybijano kiedyś ludzi do krzyża?
2. Dlaczego ukrzyżowano Jezusa?
3. Dlaczego Jezus zgodził się umrzeć na krzyżu za nasze grzechy?

Death on the Cross
Matthew 27:38-66

Jesus was led outside the city walls to a hill called Golgotha. There He was nailed to a cross. The worst criminals were punished that way. Why was Jesus punished? He never did anything wrong. He was punished for our sins. God should have punished every one of us for our evil deeds. But Jesus loved us so much that He came from heaven to carry our punishment. Jesus hung in agony for many hours. It was noon. The sun beat down unmercifully. Suddenly it got dark. For three hours Jesus hung on the cross in the darkness. He felt abandoned by God. And when His time came, Jesus died. The work of salvation was completed. The way to heaven was opened.

1. Why would they nail someone to a cross in those days?
2. Why was Jesus crucified?
3. Why did Jesus agree to die for our sins on the cross?

Co tu widzisz?

Pokaż, gdzie znajduje się Jezus. Pokaż dwóch innych mężczyzn. Ilu widzisz tu żołnierzy?

What can you see?

Point at Jesus in the picture. Point out two other men. Are there any soldiers here?

Zmartwychwstanie

Ewang. wg św. Mateusza 28:1-10

Te dwie kobiety były przy śmierci Jezusa. Były również przy tym, jak składano Jego ciało do grobu. Gdy nadeszła niedziela przyszły wczesnym rankiem, by namaścić ciało Jezusa wonnymi olejkami. Zbliżyły się do grobu i zobaczyły odwalony kamień. Gdy weszły do środka, oślepiło je jasne światło. Ujrzały anioła, który powiedział im, że Jezus żyje. By nie szukały Go pośród umarłych, lecz zaniosły wspaniałą nowinę uczniom Jezusa. Kobiety szybko pobiegły. Były przepełnione wielką radością. Stało się to, co Jezus obiecał. Mówił, że umrze, lecz trzeciego dnia zmartwychwstanie. Jakże mogły o tym zapomnieć!

1. *Po co te kobiety przyszły do grobu?*
2. *Kogo zobaczyły w środku?*
3. *Co anioł im powiedział?*

The Resurrection

Matthew 28:1-10

These two women were at the cross when Jesus died. They were also at the tomb when they buried Him. When Sunday came, early in the morning, they went to the tomb to anoint Jesus' body with sweet smelling oils. When they got there, the stone was pushed aside. They went into the tomb and were dazzled by a bright light. There was an angel who told them that Jesus was alive. They were not to look for Him among the dead but to tell His disciples the good news. The women ran quickly. They were full of great joy. What Jesus had promised had happened. He said He would die but that He would rise again on the third day. How could they have forgotten!

1. *Why did the women come to the tomb?*
2. *Whom did they see inside?*
3. *What did the angel tell them?*

Co tu widzisz?

Czy widzisz ten ogromny kamień? Został odwalony sprzed wejścia do grobu. Co trzymają w rękach te kobiety?

What can you see?

Can you see this huge stone? It was pushed away from the entrance of the tomb. What are the women holding in their hands?

Pusty grób

Ewang. wg św. Jana 20:1-10

Piotr i Jan biegną najszybciej jak mogą. Bardzo się śpieszą. Usłyszeli o tym, że Jezus żyje. Lecz nie mogli w to uwierzyć. Muszą zobaczyć pusty grób na własne oczy. Jan dobiegł pierwszy. Przy wejściu zobaczył leżące płótna. Jednak lękał się wejść do środka. Gdy nadbiegł Piotr, nie zatrzymał się, lecz wszedł do wnętrza. Ujrzał chustę i płótna, w które owinięte było ciało Jezusa. Teraz Piotr i Jan uwierzyli w to, co się stało. Jezus zmartwychwstał! Przekonali się, że Jezus jest Synem Bożym i Zbawicielem. Ich wszelkie wątpliwości zostały rozwiane. Już wierzyli, że wszyscy zmartwychwstaną kiedyś do nowego życia. Przepełnieni radością powrócili do swoich domów.

1. Dokąd biegną Piotr i Jan?
2. Czy znajdują w nim ciało Jezusa?
3. Czy cieszysz się, że Jezus żyje?

The Empty Tomb

John 20:1-10

Peter and John are running as fast as they can. They are in a big hurry. They have just heard that Jesus is alive and they cannot believe it. They have to see the empty tomb with their own eyes. John got there first. He saw the cloth but he was afraid to go inside. When Peter arrived he did not stop but went right in. He saw the cloth that Jesus' body had been wrapped in. Peter and John believed in what had happened. Jesus had risen from the dead! They realized Jesus was the Son of God and the Saviour. Their doubts disappeared. They believed now that every man would rise again to a new life. They returned home rejoicing.

1. Where are Peter and John running to?
2. Is Jesus' body in the tomb?
3. Are you happy that Jesus is alive?

Co tu widzisz?

Pokaż, gdzie znajduje się grób. Czy kamień wciąż jeszcze leży przed wejściem do grobu, czy został odwalony? Czy Jezus jest w tym grobie? Nie! Jezus znowu żyje!

What can you see?

Find the empty tomb in the picture. Is the stone still covering the entrance or has it been pushed aside? Is Jesus in the tomb? No! Jesus is alive again!

Spotkanie z Jezusem

Ewang. wg św. Jana 20:11-18

Spójrz, jak szczęśliwa jest Maria Magdalena. A jeszcze przed chwilą płakała. Przyszła z samego rana do grobu i ujrzała odsunięty kamień. Nie wiedziała, co się stało. Gdy zajrzała do środka, ujrzała dwóch aniołów odzianych w białe szaty. Grób był pusty, nie było ciała Jezusa. Nagle poczuła, że ktoś za nią stoi. Zobaczyła jakiegoś człowieka i myślała, że to ogrodnik. Chciała zapytać się, co się stało z ciałem Jezusa. Oczy miała zasnute łzami i nie poznała, że stoi przed nią Jezus. Nagle usłyszała: „Mario!" I w tym momencie poznała Go. Poznała Jego ukochany głos. Jej serce wypełniło się radością. Jezus żyje! Nie mogła zatrzymać tej wspaniałej nowiny tylko dla siebie. Pobiegła do uczniów, lecz oni nie mogli uwierzyć w jej słowa.

1. Dlaczego Maria Magdalena płakała?
2. Kogo spotkała przed grobem?
3. Dokąd pobiegła Maria Magdalena?

The Meeting with Jesus

John 20:11-18

Look how happy Mary Magdalene is. A moment ago she was still weeping. She came to the tomb early in the morning and saw the stone pushed aside. She did not know what had happened. When she looked inside she noticed two angels dressed in white. The tomb was empty. Jesus was not there. Suddenly she realized someone was standing behind her. She saw a man and she thought he was a gardener. She wanted to ask him what had happened with Jesus' body. Her eyes were filled with tears and she did not recognize Jesus. Then He called her, „Mary." And then she recognized Him. It was His sweet voice. Her heart was filled with joy. Jesus was alive! She could not keep that wonderful news just to herself. She ran to the disciples but they did not believe her.

1. Why did Mary Magdalene weep?
2. Who did she meet at the tomb?
3. Where did Mary Magdalene run?

Co tu widzisz?

Przyjrzyj się dłoniom Jezusa. Co widzisz? Są to ślady ran po gwoździach. Żołnierze przebili dłonie Jezusa i przybili Go do krzyża.

What can you see?

Look at Jesus' hands. What do you see? These are the nail scars on them. The soldiers nailed Jesus' hands when they crucified Him.

Podróż do Emaus

Ewang. wg św. Łukasza 24:13-35

ej samej niedzieli dwaj inni przyjaciele Jezusa opuszczali Jerozolimę. Szli do swojego domu w Emaus. Po drodze rozmawiali o tym, co się wydarzyło w ostatnich dniach. Rozmawiali o śmierci Jezusa, a także o tym, co mówiły kobiety. Żaden z nich nie wierzył, że to może być prawdą. Gdy tak szli, przyłączył się do nich jakiś podróżny. Kiedy poznał powód ich smutku, przypomniał im wszystkie proroctwa o śmierci i zmartwychwstaniu Jezusa. Gdy tak słuchali, co mówi nieznajomy, smutek ustąpił z ich serc. Kiedy doszli do Emaus, nie chcieli się rozstać z zapoznanym podróżnym. Zaprosili Go na kolację. Gdy zasiadł z nimi do stołu, wziął do ręki chleb i pobłogosławił go. Wtedy dopiero poznali, że to był Jezus. W tym momencie zniknął im z oczu.

1. Czym ci mężczyźni są tak zaskoczeni?
2. Czy zatrzymają tę wiadomość dla siebie?
3. Czy często mówisz o tym, że Jezus żyje?

The Journey to Emmaus

Luke 24:13-35

The same Sunday two other friends of Jesus left Jerusalem. They went to their house in Emmaus. On the way they talked about the things that had happened those days. They talked about the death of Jesus and about what the women had said. Neither of them believed that it could be true. When they were walking, another traveler came up and joined them. When he learned why they were sad, He reminded them of all the prophecies about Jesus' death and resurrection. When they listened to the stranger, sadness left their hearts. When they got to Emaus they did not want to part with the stranger. They invited Him for supper. He sat with them and then took the bread and blessed it. As He did this, they recognized Him as Jesus. Then He disappeared.

1. Why are the men so surprised?
2. Will they keep the news to themselves?
3. Do you often tell people that Jesus is alive?

Co tu widzisz?

W takiej izbie jedzono posiłki. Pomyśl o pomieszczeniu, w którym ty jadasz każdego dnia. Czy wygląda podobnie? Co Jezus trzyma w ręku?

What can you see?

In ancient times meals were eaten in such rooms. Think about the room where you eat your meals every day. Does it look similar? What is Jesus holding in His hand?

Niewierny Tomasz

Ewang. wg św. Jana 20:24-29

Tomasz był jedynym z apostołów, który nie widział jeszcze zmartwychwstałego Jezusa. Nie mógł on uwierzyć w opowieści pozostałych uczniów. Widział przecież martwe ciało. Dlatego nie chciał nikomu wierzyć, że Jezus żyje. Tylko widok dłoni i stóp Jezusa mógłby sprawić, że Tomasz uwierzyłby, że On żyje. Minął tydzień. Nadeszła kolejna niedziela. Uczniowie, razem z Tomaszem, siedzieli w zamkniętym pokoju. Ciągle jeszcze bali się wrogów Jezusa. Chociaż drzwi były zamknięte, nagle w izbie pojawił się Jezus. Zbliżył się prosto do Tomasza, by mógł on ujrzeć ślady po gwoździach. Tomasz upadł do stóp Jezusa. Chociaż bardzo się cieszył, że Go widzi, było mu wstyd, że nie uwierzył wcześniej w zmartwychwstanie Syna Bożego.

1. Który z apostołów nie widział jeszcze Jezusa?
2. Dlaczego nie wierzył w słowa uczniów?
3. Jak poczuł się Tomasz, gdy ujrzał Jezusa?

Doubting Thomas

John 20:24-29

Thomas was one of the apostles who had not seen the resurrected Jesus yet. He could not believe the other disciples' stories. He had seen the dead body of Jesus. And he could not believe that Jesus was alive. He would only believe if he saw the hands and feet of Jesus. A week passed. Next Sunday came. The disciples and Thomas were in a locked room. They were still afraid of Jesus' enemies. And suddenly, even though the door was locked, Jesus was standing there among them. He approached Thomas and showed him the nail scars. Thomas fell to His feet. He was happy he could see Jesus but he was also ashamed that he had not believed earlier in the resurrection of the Son of God.

1. Which apostle had not seen Jesus yet?
2. Why didn't he believe the disciples?
3. How did Thomas feel when he saw Jesus?

Co tu widzisz?

Przyjrzyj się twarzy Tomasza. Co ona wyraża? Tomasz jest strasznie zawstydzony.

What can you see?

Look at Thomas' face. What does it express? Thomas is much ashamed.

Spotkanie nad jeziorem
Ewang. wg św. Jana 21:1-17

Uczniowie Jezusa znowu zaczęli łowić ryby. Pewnego wieczoru wypłynęli na jezioro i zarzucili sieci. Jednak nie złowili ani jednej ryby. O świcie zobaczyli człowieka stojącego na brzegu. Nie wiedzieli, że to ich Pan. Gdy Jezus dowiedział się, że nic nie złowili, polecił uczniom zarzucić sieci z drugiej strony łodzi. Ledwie to uczynili, sieci zrobiły się ciężkie od ryb. Wtedy domyślili się, że rozmawiali z Jezusem. Piotr nie mógł się doczekać spotkania ze swoim Panem. Rzucił się do wody i szybko dopłynął do brzegu. Na uczniów czekało rozpalone ognisko. Piekły się ryby, a obok leżał chleb. Uczniowie byli szczęśliwi, przebywając w obecności Jezusa. Tylko Piotr siedział zawstydzony. Ciągle nie mógł zapomnieć, jak trzy razy zaparł się Jezusa. Jednak Jezus wybaczył Piotrowi.

1. Czym zajmowali się uczniowie?
2. Dlaczego Piotr znajduje się w wodzie?
3. Czego wstydził się Piotr?

The Meeting at the Lake
John 21:1-17

The disciples of Jesus went out to fish again. One evening they went out into the lake and let down their nets. But they did not catch any fish. At dawn they saw a man standing on the shore. They did not know that it was their Lord. When Jesus heard that they did not catch anything, he told them to let down the nets on the other side of the boat. As soon as they did it, the boat became heavy with fish. Then they recognized Jesus. Peter could not wait till he met his Lord. He jumped into the water and swam to shore quickly. When they all landed they saw a burning fire. The fish were roasting; there was also some bread. The disciples were happy that they could be in the presence of Jesus. Only Peter sat there ashamed. He could not forget that he had denied Jesus three times. But Jesus forgave Peter.

1. What were the disciples doing?
2. Why is Peter in the water?
3. Why was Peter ashamed?

Co tu widzisz?

Pokaż, gdzie jest łódź. Piotr płynął nią i pomagał innym uczniom łowić ryby. Tej nocy nie mogli nic złowić. Jezus powiedział im, gdzie mają zarzucić sieć. Gdy to uczynili złowili mnóstwo ryb.

What can you see?

Can you see the boat? Peter was in the boat helping the other disciples fish. That night they did not catch any fish. Jesus told them where to let down their nets. When they obeyed Him they caught plenty of fish.

Wniebowstąpienie

Dzieje Apostolskie 1:9-11

Przez czterdzieści dni po swoim zmartwychwstaniu Jezus pokazywał się uczniom. Mówił im o Królestwie Bożym i przygotowywał do swojego odejścia z tej ziemi. Powierzył uczniom misję świadczenia o Nim w Jerozolimie i okolicach, a także w całym świecie. Aby każdy mógł uwierzyć w Jezusa, ochrzcić się i być zbawionym. Uczniowie już wiedzieli, że Jezus idzie przygotować miejsce w niebie, a potem wróci na ziemię i zabierze do siebie tych, którzy Go kochają. Nagle Jezus podniósł ręce do góry, aby pobłogosławić uczniów. Gdy to uczynił, zaczął unosić się do nieba. Wkrótce zakrył Go obłok. A uczniowie stali nieruchomo i patrzyli w górę. Czy ty kochasz Jezusa? Chciałbyś pójść kiedyś do Jego niebiańskiej ojczyzny, aby przebywać z Nim na wieki?

1. Dokąd unosi się Jezus?
2. Czy jeszcze kiedyś powróci na ziemię?
3. Kogo zabierze ze sobą do nieba?

The Ascension

Acts 1:9-11

After His resurrection Jesus appeared to His disciples for forty days. He talked to them about the kingdom of God and announced that He would leave the earth. He told them to be His witnesses in Jerusalem, in the surrounding areas, and in the whole world so that everyone could believe in Jesus, be baptized and be saved. The disciples knew that He would go to heaven to prepare a place for them. Then He would return and take those who loved Him to be with Him. Jesus raised His hands and blessed them. Then He began to rise to heaven. Soon a cloud covered Him. His disciples stood there still looking up. Do you love Jesus? Would you like to go to heaven one day and be there with Him forever?

1. Where is Jesus going?
2. Will He ever return to this earth?
3. Who will go with Him to heaven?

Co tu widzisz?
Ludzie patrzą, jak Jezus powraca do nieba. Czy widzisz
to jasne światło? Widzisz obłoki?

What can you see?
The disciples are watching Jesus going back to heaven.
Can you see the bright light? Can you see the cloud?

Zesłanie Ducha Świętego

Dzieje Apostolskie 2:1-13

Dziesiątego dnia po wniebowstąpieniu uczniowie Jezusa znajdowali się w Jerozolimie. W tym mieście, jak co roku, obchodzono uroczyście Dzień Pięćdziesiątnicy. Wczesnym rankiem uczniowie zgromadzili się w górnej izbie. Gdy modlili się, nagle usłyszeli szum jakby potężnego wiatru. W powietrzu ukazały się języki ognia, które zatrzymały się na każdym z nich. Uczniowie zostali napełnieni Duchem Świętym! Ich serca zostały wypełnione mocą i radością. Gdy otworzyli swoje usta, zaczęli przemawiać w obcych językach. Głośno chwalili Boga za dar otrzymany od Niego. Wkrótce wokół uczniów zebrało się mnóstwo osób z różnych stron świata. Każdy z nich słyszał, że uczniowie przemawiali w jego własnym języku.

1. W jakim mieście przebywali uczniowie?
2. Jakie święto tam obchodzono?
3. Co ważnego wydarzyło się w górnej izbie?

The Holy Spirit comes at Pentecost

Acts 2:1-13

Ten days after the ascension of our Lord, his disciples were staying in Jerusalem. It was the city where the day of Pentecost was celebrated annually. Early in the morning the disciples gathered in the upper room. While they were praying, suddenly they heard a sound like a mighty wind. They saw tongues of fire that came to rest on each of them. The disciples received the Holy Spirit! Their hearts were filled with power and joy. They begun to speak in foreign languages. They gave God loud praises, thanking him for this gift. Soon people from many different nations started to gather around the disciples. Each one could hear their own language being spoken.

1. In which city did the disciples stay?
2. What kind of holiday was being celebrated there?
3. What important event took place in the upper room?

Co tu widzisz?

Ilu uczniów znajduje się w izbie? Co oni robią? Co znajduje się nad ich głowami?

What do you see here?

How many disciples were gathered in the upper room? What are they doing? What is it that you see above their heads?

Wspaniały cud

Dzieje Apostolskie 3:1-11

en człowiek od urodzenia nie mógł chodzić. W tamtych czasach tacy ludzie nie mogli znaleźć pracy. Nikt nie chciał ich zatrudnić. Chory człowiek nie miał innego wyjścia, jak tylko żebrać. Jego przyjaciele zostawiali go przy bramie prowadzącej do świątyni, aby żebraniem zarobił na swoje utrzymanie. Codziennie prosił o wsparcie ludzi, którzy tamtędy przechodzili. Pewnego dnia Piotr i Jan szli do świątyni. Pragnęli pomodlić się w Domu Bożym. Także i do nich chory wyciągnął rękę, prosząc o pieniądze. Lecz Piotr i Jan nie byli bogaci. Nie mieli pieniędzy. Jednak dali biedakowi coś cenniejszego niż srebro i złoto. Uzdrowili go mocą Jezusa. I zobacz, co się dzieje! Piotr bierze tego mężczyznę za rękę, a on wstaje. Może nie tylko chodzić, ale także biegać i skakać.

1. *Dlaczego ten mężczyzna żebrze?*
2. *Co dobrego uczynili dla niego Piotr i Jan?*
3. *Czyją mocą chory został uzdrowiony?*

A Wonderful Miracle

Acts 3:1-11

Since the time he was born this man had not been able to walk. In those days people like this could not find work. Nobody wanted to hire them. The sick man had no other option but to beg. His friends would leave him at the gate of the temple so he could beg. Every day he asked the people who passed by for alms. One day Peter and John were going to the temple. They wanted to pray in the House of God. The sick man stretched out his hand toward them asking for money. But Peter and John weren't rich. They did not have any money. But they gave the poor man something far more precious than silver or gold. They healed him by the power of Jesus. Look what is going on! Peter took the man by the hand and helped him up. The man stood on his feet. Not only can he walk but he can also run and jump.

1. *Why was the man begging for money?*
2. *What good did Peter and John do?*
3. *By whose power was the man healed?*

Co tu widzisz?

Te schody prowadzą do Domu Bożego. To wejście nazywano „piękną bramą". Widzisz tę małą miseczkę stojącą przed mężczyzną? Przechodzący ludzie wrzucali do niej pieniądze.

What can you see?

Those steps lead to the House of God. This entrance was called the „Beautiful Gate". Can you see a little bowl in front of the man? The passers-by threw their money into it.

Piotr i Jan przed kapłanami

Dzieje Apostolskie 5:12-42

Piotr rozmawia z kapłanami i nauczycielami Słowa Bożego, którzy nienawidzą wszystkich uczniów Jezusa. Kapłani zabraniali mówić o Jezusie i uzdrawiać chorych w Jego imieniu. Jednak Piotr i Jan, przepełnieni Bożą mocą, coraz odważniej głosili Słowo Boże. Wielu ludzi nawróciło się do Jezusa. Wtedy arcykapłan kazał wtrącić uczniów do więzienia. Lecz Piotr i Jan jeszcze tej samej nocy zostali uwolnieni. Bóg zesłał swojego anioła, a ten przeprowadził uczniów przez zamknięte drzwi i kraty. Powrócili oni do świątyni i nadal odważnie świadczyli o Jezusie. Chociaż wiedzieli, że ich życie jest w niebezpieczeństwie, moc Boża dodawała im odwagi i nie odczuwali żadnego lęku. Gdy tobie zabraknie odwagi, aby świadczyć o Jezusie, przypomnij sobie Piotra.

1. Z kim rozmawiają Piotr i Jan?
2. Co nie podoba się kapłanom?
3. Czy chciałbyś być tak odważny jak Piotr?

Peter and John Before the Priests

Acts 5:12-42

Peter is talking to the priests and teachers of the Word of God who hate all disciples of Jesus. The priests forbade them to talk about Jesus and heal the sick in His name. But Peter and John, full of God's power preached the Word of God more and more boldly. Many people were coming to Jesus. Then the high priest ordered to put the disciples in prison. But Peter and John escaped that same night. God sent His angel to lead the disciples through the locked door and bars. They returned to the temple and continued to testify boldly about Jesus. Even though they knew their lives were in danger the power of God strengthened them and they were not afraid. When you lack courage to testify about Jesus, remember Peter.

1. Who are Peter and John talking to?
2. What didn't the priests like?
3. Would you like to be as bold as Peter?

Co tu widzisz?

Czy możesz rozpoznać na tym obrazku Piotra? To ten mężczyzna z laską. Widzisz tego męża z siwą brodą? Nazywano go arcykapłanem. Był on zwierzchnikiem nad wieloma kapłanami.

What can you see?

Can you see Peter in this picture? He is the man with a staff. Can you see the man with a white beard? That is the high priest. He was above the other priests.

Szczepan - pierwszy męczennik

Dzieje Apostolskie 6-7

ażdego dnia rosła liczba wierzących w Jezusa. Apostołowie pomagali każdemu potrzebującemu. Aż nadeszła chwila, że nie mieli oni czasu na modlitwy i wygłaszanie kazań. Wtedy postanowili wybrać siedmiu pomocników do usługiwania ludziom. Jednym z nich był Szczepan. Był on bardzo dobrym człowiekiem. Potrafił też doskonale nauczać i czynił wiele cudów. Wkrótce miał już mnóstwo wrogów. Czy widzisz na tym obrazku Szczepana? Stoi przed obliczem samego arcykapłana i opowiada mu o Jezusie. Mówił jak natchniony, a jego twarz promieniowała anielskim blaskiem. Nie odczuwał żadnego lęku przed swoimi wrogami. To jeszcze bardziej rozwścieczyło jego sędziów. Wywlekli go poza miasto i tam rzucali w niego kamieniami, aby go zabić.

1. Czym zajmował się Szczepan?
2. Jakim był człowiekiem?
3. O kim opowiada Szczepan arcykapłanowi?

Stephen - the First Martyr

Acts 6-7

The number of people believing in Jesus grew every day. The apostles helped the needy. But the here came a time when they did not have enough time to pray and preach. So they decided to choose seven helpers who would serve the people. One of them was Stephen. He was a very good man. He could also teach and did many miracles. Soon he had many enemies. Can you see Stephen in this picture? He is standing before the high priest and telling him about Jesus. He spoke as an inspired man; his face was radiating with an angelic glow. He was not afraid of his enemies. It made his judges even more furious. They dragged him outside the city and threw stones at him to kill him.

1. What did Stephen do?
2. What was he like?
3. What is Stephen telling the priest?

Co tu widzisz?

Widzisz tego mężczyznę w białej czapce? Jest to arcykapłan. Zabrania on mówić o Jezusie.

What can you see?

Can you see the man in the white cap? That is the high
priest. He forbade Stephen to talk about Jesus.

Filip i Etiopczyk
Dzieje Apostolskie 8: 26-40

Jednym z siedmiu pomocników był także Filip. Umiał on pięknie mówić o Jezusie, więc słuchały go w skupieniu tłumy ludzi. Dokonywał także mocą Jezusa wielu cudów i uzdrawiał chorych. Zdarzyło się, że ukazał się Filipowi anioł i wysłał go na drogę pustynną. Filip posłuchał głosu anioła i udał się na pustynię. Po chwili ujrzał wspaniały powóz, a w nim pięknie ubranego mężczyznę. Był to urzędnik królowej etiopskiej. Słyszał on już o prawdziwym Bogu i specjalnie przyjechał do Jerozolimy, by w świątyni złożyć Mu hołd. Tam zakupił zwoje Pisma Świętego. Jadąc powozem, czytał, lecz niewiele rozumiał. Bóg postawił na jego drodze Filipa. Etiopczyk usłyszał dobrą nowinę o Jezusie. Uwierzył w Niego, został ochrzczony i szczęśliwy wyruszył w dalszą drogę.

1. *Kim był Filip?*
2. *Co rozkazał mu anioł?*
3. *Kto usłyszał o Jezusie i został ochrzczony?*

Philip and the Ethiopian
Acts 8:26-40

Philip was one of the seven helpers. He would tell wonderful stories about Jesus and the crowds would listen attentively. He also did many miracles and healed the sick by the power of Jesus. One day an angel appeared to Philip and sent him to a desert road. Philip obeyed the angel and went to the desert. After a while he saw a nice chariot and a richly dressed man inside. He was an official of the Ethiopian queen. He had heard about the real God before and he came to Jerusalem to worship Him in the temple. There he bought a scroll of the Holy Scriptures. Riding in his chariot he was reading the Scriptures but he did not understand much. God sent Philip to him. The Ethiopian heard the good news about Jesus. He believed in Him and was baptized, and went on his way rejoicing.

1. *Who was Philip?*
2. *What did the angel tell him to do?*
3. *Who heard about Jesus and was baptized?*

Co tu widzisz?

Pokaż, gdzie jest wóz. Ile koni go ciągnie? Który z tych mężczyzn jest Etiopczykiem? A który z nich to Filip? Widzisz ten zwój? Filip pomaga urzędnikowi zrozumieć Słowo Boże.

What can you see?

Point at the chariot. How many horses are drawing it? Which man is the Ethiopian? And which is Philip? Can you see the scroll? Philip is helping the official to understand the Word of God.

Szaweł

Dzieje Apostolskie 9:1-20

 mieście Tars żył pewien człowiek imieniem Szaweł. Bardzo kochał on Boga, ale nie wiedział, że Jezus jest Jego Synem. Aby przypodobać się Bogu ścigał ludzi, którzy wierzyli w Jezusa i wtrącał ich do więzienia. Wiele z tych osób zostało zabitych. Pewnego dnia Szaweł wyruszył do miasta Damaszek, gdyż słyszał, że jest tam wielu wyznawców Jezusa. Wyruszył w podróż na czele uzbrojonych ludzi. Nagle oślepiło go silne światło spływające z nieba. Światło było tak mocne, że Szaweł przerażony padł na ziemię. Wtedy z nieba rozległ się głos:„Szawle, Szawle dlaczego mnie prześladujesz?" Był to głos Jezusa. Szaweł w jednej chwili zrozumiał, , jak złe było jego postępowanie. Pokochał Jezusa i poświęcił Mu swoje życie.

 1. Z jakiego miasta pochodził Szaweł?
2. Czy kochał on Boga?
3. Czyj głos usłyszał Szaweł na drodze?

Saul

Acts 9:1-20

In the city of Tarsus there lived a man named Saul. He loved God very much but he did not know that Jesus was God's Son. Trying to please God, he began to hunt down the people who believed in Jesus and put them in prison. Many of them were killed. One day Saul decided to travel to the city of Damascus because he heard that there were many followers of Jesus there. He took a band of armed men with him. When he was on his way, suddenly a bright light from heaven dazzled him. The light was so strong that Saul fell to the ground frightened. Then the voice from heaven spoke, „Saul, Saul, why do you persecute me?" It was a voice of Jesus. In one moment Saul realized how wrong he was. He believed in Jesus and dedicated his life to Him.

1. What city did Saul come from?
2. Did he love God?
3. Whose voice did Saul hear on the road to Damascus?

Co tu widzisz?

Widzisz to mocne światło płynące z nieba? Było tak jasne, że Szaweł oślepł. Co robią jego towarzysze?

What can you see?

Can you see the bright light from heaven? It was so bright that Saul went blind. What are his companions doing?

Tabita

Dzieje Apostolskie 9:36-43

iedy Piotr przebywał w Liddzie i nauczał ludzi o Jezusie, przyszło do niego dwóch posłańców z pobliskiego miasta Jafa. W tym mieście mieszkała pewna kobieta imieniem Tabita. Bardzo kochała ona Jezusa i chciała okazać swoją miłość do Niego poprzez pomoc biednym ludziom. Potrafiła pięknie szyć i haftować, a swoje prace oddawała potrzebującym, nie żądając za to pieniędzy. W tym czasie, gdy pomagała, opowiadała o Jezusie. Pewnego dnia Tabita zachorowała i umarła. Wszyscy byli bardzo smutni. Jednak ktoś przypomniał sobie o Piotrze. Gdy go przyprowadzono, Piotr wszedł do izby, gdzie leżała zmarła. Padł na kolana i modlił się. Potem zwrócił się do zmarłej: „Tabito, wstań!". I Tabita wstała. Zapanowała wielka radość.

1. Gdzie mieszkała Tabita?
2. W jaki sposób pomagała biednym?
3. Czy ty też chciałbyś pomagać ludziom?

Tabitha

Acts 9:36-43

When Peter was in Lydda teaching the people about Jesus two messengers came to him from the nearby city of Joppa. A woman named Tabitha lived in that city. She loved Jesus very much and showed her love to Him by helping the poor. She could sew and embroider and what she made she gave to the needy without receiving any money. When she helped others she always talked to them about Jesus. One day Tabitha got ill and died. Everyone was sorry and sad. But someone remembered Peter. When Peter arrived he went into the room where the dead woman lay. He fell to his knees and prayed. Then he said to the dead woman, „Tabitha, get up." And Tabitha got up. They all rejoiced.

1. Where did Tabitha live?
2. How did she help the poor?
3. Would you also like to help the poor?

Co tu widzisz?

Widzisz tę matkę z dwojgiem dzieci? Czy wygląda na szczęśliwą, czy raczej smutną? Pokaż mi Tabitę. Czy widzisz, jak bardzo jest zadowolona, że może pomóc biednym?

What can you see?

Can you see this mother with her two children? Does she look happy or rather sad? Point at Tabitha. Can you see how happy she is that she can help the poor?

Żołnierz Korneliusz

Dzieje Apostolskie 10

 Cezarei mieszkał pewien setnik rzymski. Żołnierz ten miał na imię Korneliusz. Był on bogobojnym człowiekiem, pomagał biednym i modlił się do Boga. Pewnego popołudnia ukazał mu się anioł i polecił sprowadzić Piotra do swojego domu. Gdy Piotr przybył do Korneliusza, czekało już na niego mnóstwo osób. Byli to krewni i znajomi żołnierza. Wszyscy pilnie wsłuchiwali się w słowa Piotra. Gdy tak siedzieli i chłonęli każde słowo o Jezusie, zstąpił na wszystkich Duch Święty i zaczęli wielbić Boga. A Piotr widząc to, co się stało, ochrzcił wszystkich w imię Jezusa.

1. Jak nazywa się ten żołnierz?
2. Kto znajduje się koło niego?
3. O czym Piotr mówi Korneliuszowi?

The Soldier Cornelius

Acts 10

 A certain Roman centurion lived in Caesarea. The soldier's name was Cornelius. He was a godly man. He helped the poor and prayed to God. One afternoon an angel appeared to him and told him to call for Peter. When Peter came to Cornelius many people were already waiting for him. These were Cornelius' relatives and friends. They all listened attentively to all that Peter had to say. When they were absorbing every word about Jesus, the Holy Spirit came down on them and they began to worship God. Peter, seeing what had happened, baptized them all in the name of Jesus.

1. What is this soldier's name?
2. Who is standing next to him?
3. What is Peter telling Cornelius?

Co tu widzisz?
Czy potrafisz pokazać żonę Korneliusza? Gdzie są ich dzieci?

What can you see?
Can you find Cornelius' wife? Where are their children?

Cudowne uwolnienie

Dzieje Apostolskie 12:1-11

Niedługo potem rozpoczęły się okrutne prześladowania wierzących. Król Herod wtrącił Piotra do więzienia. Planował go zabić, zaraz po zakończeniu święta Paschy. W dzień i w nocy pilnowało Piotra szesnastu żołnierzy. Spał pomiędzy dwoma strażnikami, a jego ręce i nogi skute były łańcuchami. W noc poprzedzającą wydanie Piotra ludowi, Bóg wysłał swego anioła. Chociaż wielka jasność ogarnęła całą celę, Piotr spał bardzo mocno. Anioł obudził go. Spójrz, jak z rąk Piotra spadają ciężkie łańcuchy! Piotr nie mógł uwierzyć w to, co się dzieje. Myślał, że śni. Gdy minęli wszystkie straże, doszli do zewnętrznej bramy, która otworzyła się przed nimi. Wyszli na ulicę. Anioł zniknął. Wtedy Piotr zrozumiał, że swoje ocalenie zawdzięcza Bogu.

1. *Dlaczego Piotr znalazł się w więzieniu?*
2. *Kogo Bóg wysłał na ratunek Piotrowi?*
3. *Czy wierzysz, że Bóg może wszystko?*

The Miraculous Escape

Acts 12:1

Before long the cruel persecution of the believers began. King Herod put Peter in jail. He planned to kill him right after the Passover celebrations. Sixteen soldiers guarded Peter day and night. He slept between two guards and his hands and feet were chained. The night before he was to be handed over to the people, God sent His angel. Even though a bright light filled the cell, Peter was fast asleep. The angel woke him up. Look, the heavy chains are falling off of Peter's hands! Peter could not believe this was really happening. He thought he was dreaming. After they passed by the guards they came to the outer gate, which opened before them. They went into the street. The angel disappeared. Then Peter realized that he owed his rescue to God.

1. *Why was Peter in jail?*
2. *Whom did God send to rescue Peter?*
3. *Do you believe that nothing is impossible for God?*

Co tu widzisz?

Spójrz na śpiących strażników. Wcale nie widzą tego, co się dzieje. Pokaż żelazne sztaby w oknie.

What can you see?

Look at the sleeping guards. They do not see what is happening. Notice the iron bars in the window.

Wysłuchana modlitwa

Dzieje Apostolskie 12:12-17

Gdy Piotr przebywał w więzieniu, jego przyjaciele gorliwie modlili się do Boga. Chociaż wiedzieli, że jest to ostatnia noc przed skazaniem Piotra, nadal wierzyli w to, że dla Boga nie ma rzeczy niemożliwych. Nagle usłyszeli głośne stukanie. Dziewczynka imieniem Roda pierwsza dobiegła do drzwi. Gdy usłyszała głos Piotra, pobiegła z radością zawiadomić zebranych. Wszyscy byli zaskoczeni. W pierwszej chwili nie mogli w to uwierzyć. Czyżby zapomnieli, o co prosili Boga? Gdy wreszcie wpuścili Piotra do środka, on opowiedział im o swoim cudownym ocaleniu. Wieść o tej wspaniałej historii rozeszła się po całym mieście. A nazajutrz rano w więzieniu nikt nie mógł zrozumieć, jak to się stało, że Piotr zniknął, pomimo krat, drzwi i pilnujących go strażników.

1. *O co modlili się przyjaciele Piotra?*
2. *Czy Bóg wysłuchał ich modlitwy?*
3. *Czy ty nie zapominasz o modlitwie?*

An Answered Prayer

Acts 12:12-17

While Peter was in jail his friends were praying for him fervently. Even though it was the last night before Peter's execution, they still believed that nothing was impossible for God. Suddenly they heard someone knocking on the door. A girl named Rhoda got to the door first. When she recognized Peter's voice she ran to tell the others. They were all surprised. First they could not believe it. Had they forgotten that they had been praying to God? When they finally let Peter in he told them about his miraculous escape. The news about this wonderful event spread throughout the whole city. The next day at the jail no one knew how Peter had disappeared, in spite of the bars, doors and the soldiers guarding him.

1. *What did Peter's friends pray for?*
2. *Did God answer their prayer?*
3. *Do you ever forget to pray?*

Co tu widzisz?

Gdzie jest Piotr? A gdzie jest Roda? Kim są ci ludzie?

What can you see?

Where is Peter? And where is Rhoda? Who are these people?

Uzdrowienie chorego
Dzieje Apostolskie 14:8-18

Paweł, zwany wcześniej Szawłem, razem ze swoim przyjacielem Barnabą, wiele podróżowali do dalekich miast. Gdy dotarli do miasta Listra spotkali człowieka chorego od urodzenia. Miał on zupełnie bezwładne nogi, nigdy nie chodził. Człowiek ten uważnie słuchał kazań Pawła, aż w jego sercu pojawiła się wielka wiara w Jezusa. Widzisz, jak zdumieni są ci wszyscy ludzie? Bóg uzdrowił tego mężczyznę. Może on chodzić i skakać. Jest żywym świadectwem Bożej mocy. Ludzie nigdy nie widzieli czegoś takiego. Byli przekonani, że Paweł i Barnaba są bogami, którzy zeszli na ziemię. Chcieli oddać im hołd. Apostołowie przerazili się. Wiedzieli, że to nie podobałoby się Bogu. Byli bowiem tylko ludźmi, chociaż poprzez nich Bóg okazywał ludziom swoją moc.

1. Z kim podróżował Paweł?
2. Na co chorował ten nieszczęśliwy człowiek?
3. Czy Paweł uzdrowił go swoją własną mocą?

A Sick Man Healed
Acts 14:8-18

Paul, earlier known as Saul, and his friend Barnabas traveled to many far-away cities. When they arrived in Lystra they met a man who had been sick since birth. His legs were crippled; he could not walk. That man listened to Paul preaching and faith in Jesus rose in his heart. See how surprised all these people are? God healed the crippled man. He can walk and jump. He is a living testimony of the power of God. These people have never seen anything like it. They were sure that Paul and Barnabas were gods who had come to earth. They wanted to worship them. The apostles were shocked. They knew such things were not pleasing to God. They were just human, even though God used them to help other people.

1. Who traveled with Paul?
2. What was the matter with the poor man?
3. Did Paul heal him with his own power?

Co tu widzisz?
Gdzie są kule tego człowieka? Czy jeszcze ich potrzebuje?
Dlaczego nie?

What can you see?
Where are the man's crutches? Does he still need them?
Why not?

Lidia

Dzieje Apostolskie 16:11-15

Paweł miał od pewnego czasu nowego pomocnika. Był nim Sylas. Paweł razem z Sylasem opuścili swoje domy i nieustannie podróżowali. Pewnego dnia przybyli do Filippi. Spędzili tam kilka dni. W czasie święta zbliżyli się do grupy ludzi, która siedziała nad rzeką. Było to miejsce do modlitwy. W tym czasie nad rzekę przyszło mnóstwo kobiet, które chętnie słuchały słów Pawła. Była z nimi kobieta o imieniu Lidia. Handlowała ona drogimi tkaninami. Była bogata, lecz mimo to bardzo bogobojna. Słuchając słów Pawła i Sylasa, uwierzyła w Jezusa. Została ochrzczona razem ze swoją rodziną. Była bardzo wdzięczna Pawłowi i Sylasowi, za to, że dzięki nim poznała Jezusa. Zaprosiła ich do swojego domu, by mogli gościć u niej za każdym razem, gdy przybędą do Filippi.

1. Do jakiego miasta przybyli Paweł i Sylas?
2. Czym zajmowała się Lidia?
3. Jak Lidia wyraziła swoją wdzięczność?

Lydia

Acts 16:11-15

Paul had a new helper. His name was Silas. Paul and Silas left their homes and traveled all the time. One day they came to Philippi. They spent several days there. On the Sabbath they approached a group of people at the river bank. It was a place of prayer. Many women came to the river and they eagerly listened to Paul's words. There was a woman named Lydia. She sold expensive fabric. She was rich but she was also godly. Listening to Paul and Silas she believed in Jesus. She and her whole family were baptized. She was very grateful that she could get to know Jesus through Paul and Silas. She invited them to her house to stay with her whenever they came to Philippi.

1. Where did Paul and Silas come?
2. What did Lydia do for a living?
3. How did Lydia express her gratitude?

Co tu widzisz?

Pokaż Lidię. Prawda, że ma piękną suknię? Jak myślisz, czy jest biedną kobietą, czy może ma dużo pieniędzy? Lidia sprzedawała kosztowne tkaniny. Bogaci ludzie kupowali takie drogie materiały.

What can you see?

Point at Lydia. Her dress is very nice, isn't it? What do you think - is she a poor woman or does she, perhaps, have a lot of money? Lydia sold expensive fabric. The rich would buy such expensive fabric.

Stróż więzienny
Dzieje Apostolskie 16:16-34

tym samym mieście Paweł i Sylas uzdrowili pewną niewolnicę. Umiała ona wróżyć i przynosiła wielki dochód swoim właścicielom. Gdy została uzdrowiona, straciła zdolność wróżenia. Dlatego jej pan doprowadził do aresztowania Pawła i Sylasa. Około północy siedząc w więzieniu, przyjaciele modlili się i śpiewali Bogu na chwałę. Nagle nadeszło trzęsienie ziemi. Z więźniów opadły kajdany, a wszystkie drzwi otworzyły się. Gdy obudził się strażnik, który ich pilnował, wydobył miecz i gotów był się zabić. Bardzo bał się kary za niedopilnowanie więźniów. Nagle usłyszał głos Pawła. Wiedział już, że więźniowie nie uciekli. Strażnik upadł Pawłowi do stóp. Teraz już dobrze wiedział, że chce służyć Bogu tak, jak Paweł i Sylas.

1. Dlaczego Paweł i Sylas znaleźli się w więzieniu?
2. W jaki sposób zostali uwolnieni?
3. Co postanowił strażnik więzienny?

The Jailer
Acts 16:16-34

In the same city Paul and Silas healed a certain slave girl. She had earned a lot of money for her owners by fortune-telling. When she was healed she lost her powers. So her master had Paul and Silas arrested. At midnight the friends were praying and singing to God's glory. Suddenly an earthquake shook the prison. The chains on the prisoners fell off and all the doors were opened. When the jailer woke up he took out his sword to kill himself. He was afraid he would be punished because the prisoners escaped. Then he heard Paul's voice. He realized that the prisoners did not escape. The jailer fell to Paul's feet. He wanted to serve God just like Paul and Silas.

1. Why were Paul and Sylas put in jail?
2. How were they freed?
3. What did the jailer decide to do?

Co tu widzisz?

Widzisz te drzwi prowadzące do więzienia? Co się z nimi stało? Czy te drzwi zostały otworzone kluczami? Pokaż, gdzie są łańcuchy. Czy Paweł i Sylas są nadal nimi związani?

What can you see?

Can you see the door to the prison? What has happened to it? Has the door been unlocked with a key? Point out the chains. Are Paul and Silas still chained?

Paweł w Atenach

Dzieje Apostolskie 17:16-34

Paweł wraz z przyjaciółmi przybył do Aten. Było to miasto, w którym Paweł jeszcze nigdy nie był. Tamtejsi mieszkańcy słynęli z tego, że byli bardzo wykształceni. Potrafili długo mówić na różne tematy i mieli zawsze dużo do powiedzenia. Ateny były pięknym miastem. Było tam mnóstwo wspaniałych świątyń. Lecz mieszkańcy Aten nie znali Boga. Oddawali hołd wielu bożkom. Paweł przybył do nich, aby nauczać ich o Jezusie. Chciał, aby uwierzyli w Niego i zostali zbawieni. Ateńczycy nie byli prostymi ludźmi, którzy z otwartym sercem słuchali słów Pawła. Lubili oni dyskutować i poznawać nowe rzeczy. Chociaż mowa Pawła bardzo im się podobała, jednak niewielu ludzi uwierzyło w Jezusa.

1. Do jakiego miasta przybył Paweł?
2. Czy mieszkańcy tego miasta znali Jezusa?
3. Czy dużo osób uwierzyło w Jezusa?

Paul in Athens

Acts 17:16-34

Paul and his friends went to Athens. It was Paul's first time there. The people of the city were famous for their education. They could talk on different subjects for a long time and they always had much to say. Athens was a beautiful city. There were plenty of beautiful temples there. But the inhabitants of Athens did not know God. They worshipped many idols. Paul came to them to teach them about Jesus. He wanted them to believe in Him and get saved. The Athenians were not just simple people who listened to Paul's words with the open hearts. They liked to argue and learn about new things. Even though they liked Paul's preaching, few people believed in Jesus.

1. Where did Paul go?
2. Did the people of the city know Jesus?
3. Did many people believe in Jesus?

Co tu widzisz?

Czy widzisz te budynki znajdujące się za Pawłem? W Atenach było wiele pięknych budowli. Było to bardzo ładne miasto.

What can you see?

Can you see the buildings behind Paul? There were many magnificent buildings in Athens. It was a very nice city.

Pryscylla i Akwila
Dzieje Apostolskie 18:1-11

aweł opuścił Ateny i udał się do Koryntu. Zapoznał tam pewnego człowieka imieniem Akwila. Miał on żonę Pryscyllę. Oboje pracowali przy szyciu namiotów. Zaprosili oni Pawła do swojego domu, aby z nimi zamieszkał. Paweł, nie chcąc być ciężarem, razem z nimi zajmował się wyrobem namiotów. Jednak nie zapominał o służbie Bogu. Często wychodził do ludzi, aby nauczać ich o Jezusie. Akwila i Pryscylla także służyli Bogu, goszcząc u siebie Pawła. Kto pomagał, takiemu człowiekowi jak Paweł, pomagał samemu Bogu. Musisz o tym pamiętać, że służyć Bogu można na wiele sposobów. Jednak decyzja należy do ciebie.

1. Kim są ci ludzie?
2. Czym oni się zajmują?
3. Czy myślałeś o tym, jak pomóc Bogu?

Priscilla and Aquila
Acts 18:1-11

Paul left Athens and went to Corinth. There he met a certain man named Aquila. His wife's name was Priscilla. They both worked as tentmakers. They invited Paul to their house to stay with them. Paul did not want to be a burden to them so he worked with them making the tents. But he did not forget to serve God. He would often go out to the people to teach them about Jesus. Aquila and Priscilla also served God by entertaining Paul. Helping Paul they helped God. Remember that you can serve God in different ways. It is up to you.

1. Who are these people?
2. What do they do?
3. Have you ever wondered how you could help God?

Co tu widzisz?

Pokaż materiał, z którego robiono namioty. Czy widzisz, jakich grubych igieł potrzebowano do szycia? Gdzie leży kłębek mocnych nici? Co jeszcze widzisz w tym domu?

What can you see?

Can you find the fabric for the tents? See how thick the needles they used for sewing tents were. Can you see the ball of thick thread? What else can you see in the house?

Wielki ogień
Dzieje Apostolskie 19:17-20

Coraz więcej ludzi nawracało się do Jezusa. Nie zostali oni obojętni wobec niezwykłych cudów, które czynił Bóg przez Pawła. Spójrz na ten wielki ogień! Ludzie palą księgi. W tamtych czasach książki pisano na długich zwojach papieru. Co złego było w tych księgach, że musiały zostać spalone? Otóż, ludzie robili bardzo złe rzeczy. Uprawiali magię, co nie podobało się Bogu. A w tych księgach zawarte były wskazówki, jak uprawiać magię. Ci ludzie uwierzyli w Jezusa. Nie chcą już mieć w swoich domach tych okropnych ksiąg. Nie chcą już więcej czynić złych rzeczy. Chcą naśladować Jezusa i czynić tylko to, co Jemu się podoba.

1. Co tu się dzieje?
2. Dlaczego ludzie palą swoje księgi?
3. Czy ty też chcesz naśladować Jezusa?

A Big Fire
Acts 19:17-20

More and more people were coming to Jesus. They could not stay indifferent to all the miracles which God was doing through Paul. Look at this big fire! The people are burning some books. In those days the books were written on long scrolls. What was wrong with the books that they had to be burned? Well, some of the people had been doing evil things. They had been practicing magic and God did not like it. Those books were full of instructions on how to practice magic. When the people came to believe in Jesus. They did no want to keep those awful books. They did not want to do evil things any more. They wanted to follow Jesus and do what was pleasing to Him.

1. What is going on here?
2. Why are these people burning their books?
3. Do you also want to follow Jesus?

Co tu widzisz?

Ile zwojów jesteś w stanie tu odnaleźć? Kiedyś takie księgi kosztowały mnóstwo pieniędzy. Ci ludzie chcą podobać się Jezusowi. Dlatego niszczą księgi, które są pełne magii.

What can you see?

How many scrolls can you see? In ancient times books such as these were very expensive. These people want to be pleasing to Jesus. That is why they are destroying the books which are full of magic.

Paweł w niebezpieczeństwie

Dzieje Apostolskie 23:12-24

 aweł miał coraz więcej wrogów. W końcu znalazł się w wielkim niebezpieczeństwie. Doszło do tego, że jego wrogowie złożyli sobie przysięgę, że nie będą jedli, ani pili, dopóki nie doprowadzą do śmierci Pawła. Gdy Paweł został aresztowany, zawiązali oni spisek, który miał im pomóc w zabiciu apostoła. Jednak Bóg czuwał nad swoim sługą. Siostrzeniec Pawła dowiedział się o spisku i doniósł o tym władzom rzymskim. Paweł nawet w więzieniu nie był bezpieczny. Ponieważ był obywatelem rzymskim, miał prawo być sądzony przez samego cesarza. Dlatego zdecydowano się wysłać Pawła do Rzymu.

1. Gdzie znajduje się Paweł?
2. Co groziło Pawłowi?
3. W jaki sposób Bóg czuwał nad Pawłem?

Paul in Danger

Acts 23:12-24

Paul had more and more enemies. Finally he got into real danger. His enemies made a vow that they would neither eat nor drink until they brought Paul to death. When Paul was arrested they formed a conspiracy to kill the apostle. But God took care of His servant. Paul's nephew learned about the plot and informed the Roman authorities about it. Paul was not safe even in jail. But because he was a Roman citizen he had the right to be judged by Caesar himself. So they decided to send Paul to Rome.

 1. Where is Paul?
2. What was he threatened by?
3. How did God take care of Paul?

Co tu widzisz?

Czy znasz sposób, by Paweł mógł uciec z więzienia? Widzisz tu żołnierza? Paweł nie miał żadnej możliwości ucieczki.

What can you see?

How could Paul escape from prison? Can you see the soldier? There was no way for Paul to escape.

Rozbicie okrętu

Dzieje Apostolskie 27

Paweł jest na statku płynącym w stronę Rzymu. Kończyło się już lato, jednak morze było jeszcze spokojne. Nikt nie spodziewał się nieszczęścia. Wkrótce rozpętała się burza. Spójrz, jak wysoko wznoszą się fale! Jak błyskawice przecinają niebo! Ludzie byli w wielkim niebezpieczeństwie. Burza szalała przez czternaście dni. Nie było widać ani słońca w dzień, ani gwiazd w nocy. Ludzie stracili już nadzieję na ocalenie. Jednak Paweł zwołał wszystkich i przekonał ich, że nic im się nie stanie. W nocy bowiem ukazał mu się anioł, który powiedział, że zatonie tylko okręt. Tak też się stało. Okręt rozbił się blisko brzegu, a wszyscy ludzie szczęśliwie dopłynęli na ląd. Rozbitkowie znaleźli się na wyspie Malta, gdzie spędzili trzy miesiące. Potem na innym statku wypłynęli w dalszą podróż.

1. Gdzie znajduje się Paweł?
2. Dokąd płynie?
3. Czy Bóg ocali Pawła podczas burzy?

Shipwrecked

Acts 27

Paul is on a ship sailing to Rome. Summer was almost over but the sea was still calm. No one expected any disaster. But soon there was a violent storm. Look how high the waves are! Lightning lit up the sky! The people were in great danger. The storm lasted fourteen days. They could not see either the sun during the day or the stars during the night. They lost all hope for rescue. But then Paul told them that nothing would happen to them. At night an angel had appeared to him and told him that only the ship would sink. And that was just what happened. The ship sank near an island and ever one made it to shore alive. The castaways got to the island of Malta. They spent three months there. Then they continued their journey on another ship.

1. Where is Paul?
2. Where is he going?
3. Will God save Paul during the storm?

Co tu widzisz?
Widzisz bochenek chleba, który Paweł trzyma w ręku?
Paweł wie, że statek nie zatonie. Dlatego spokojnie je
swój posiłek.

What can you see?
Can you see the loaf of bread in Paul's hand? Paul knows
that he will not be drown. So he calmly eats his meal.

Młody pomocnik Tymoteusz

Pierwszy i Drugi List św. Pawła do Tymoteusza

Na obrazku widzisz małego chłopca. Nazywa się Tymoteusz. Obok siedzi jego matka Eunice. Jego babka Loida stoi przed stołem. Obie pomagają Tymoteuszowi czytać Słowo Boże. Jest ono zapisane na długim zwoju papieru. Matka i babka modlą się z Tymoteuszem. Opowiadają mu o Bogu. Za kilka lat chłopiec będzie duży. Wtedy do jego miasta przybędzie Paweł. Tymoteusz będzie uważnie słuchać jego słów i przyjmie Jezusa, jako swego Zbawiciela. Potem zostanie dobrym pomocnikiem Pawła. Wkrótce będzie opiekować się nowym kościołem. Całe życie będzie pamiętać, że jego matka i babka uczyły go Słowa Bożego, gdy był jeszcze małym chłopcem. Czy ty też jesteś szczęśliwy, gdy ktoś ci czyta Słowo Boże?

1. Co robią Eunice i Loida?
2. Kim zostanie Tymoteusz, gdy będzie duży?
3. Czym będzie się zajmować?

The Young Helper, Timothy

1 and 2 Timothy

You can see a little boy in this picture. His name is Timothy. His mother, Eunice, is sitting by him. His grandmother, Lois, is standing at the table. They are both helping Timothy read the Word of God. It is written on a scroll. His mother and grandmother pray for Timothy. They tell him about God. In a few years the boy will grow up. Then Paul will come to his city. Timothy will listen to his words and will receive Jesus as his Saviour. Then he will become Paul's good helper. Soon he will take care of a new church. All his life he will remember that his mother and grandmother taught him the Word of God when he was still a young boy. Are you also happy when someone reads the Word of God to you?

1. What are Eunice and Lois doing?
2. Who will Timothy become when he grows up?
3. What will he do?

Co tu widzisz?

Spójrz na stół. Czy widzisz ten zwój? Pokaż nici, których używa Eunice. Co jeszcze widzisz na obrazku?

What can you see?

Look at the table. Can you see the scroll? Find the thread that Eunice is using. What else can you see in the picture?

Powrót Onezyma
List św. Pawła do Filemona

 idzisz przed sobą bogatego człowieka o imieniu Filemon. A przed nim stoi jego niewolnik, Onezym. Młody Onezym nie chciał być dłużej niewolnikiem. Uciekł od swojego pana. W dużym mieście spotkał Pawła. Dzięki jego słowom Onezym uwierzył w Jezusa. Wtedy zrozumiał, że jego zachowanie było złe. Pragnął wrócić do swego pana, chociaż bał się kary za ucieczkę. Okazało się jednak, że Paweł zna Filemona, który oddał swój dom na potrzeby kościoła. Onezym, już nie musiał się bać. Widzisz, Filemon czyta właśnie list od Pawła. A Onezym stoi przed Filemonem i czeka, jaką karę wymierzy mu jego pan. Filemon kocha Jezusa. Kocha też Pawła. Wobec tego pokocha też swojego niewolnika Onezyma i nie zrobi mu żadnej krzywdy.

1. Kogo spotkał Onezym podczas ucieczki?
2. Czy Onezym zmienił się, gdy poznał Jezusa?
3. Czy jego pan wybaczy mu ucieczkę?

The Return of Onesimus
Philemon

You can see a rich young man named Philemon in this picture. His slave named Onesimus is standing in front of him. Young Onesimus did not want to be a slave any more. He fled from his master. In a big city he met Paul. Thanks to Paul's words Onesimus believed in Jesus. Then he understood what he had done wrong. He wanted to go back to his master but he was afraid he would be punished for escaping. But it turned out that Paul knew Philemon, who had given his house to the church. Onesimus did not need to be afraid. See? Philemon is reading a letter from Paul. Onesimus is standing in front of Philemon and waiting for the punishment of his master. Philemon loves Jesus. He loves Paul as well. So he will love his slave Onesimus and will not harm him.

1. Whom did Onesimus meet after he had escaped from his master?
2. Did Onesimus change when he got to know Jesus?
3. Will his master forgive him?

Nowy Testament

Co tu widzisz?

Jaki strój ma na sobie Filemon? Jaki jest jego dom? Jak myślisz, czy Filemon jest bogaty, czy ubogi?

What can you see?

How is Philemon dressed? What is his house like? Do you think Philemon is rich or poor?

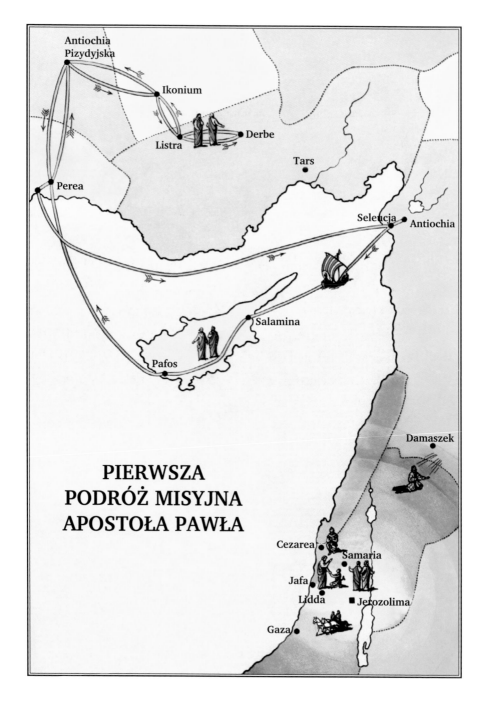

Antiochia
Pizydyjska

Ikonium

Listra

Derbe

Tars

Perea

Seleucja

Antiochia

Salamina

Pafos

Damaszek

PIERWSZA
PODRÓŻ MISYJNA
APOSTOŁA PAWŁA

Cezarea

Samaria

Jafa

Lidda

Jerozolima

Gaza

Co należy wiedzieć
o tej książce

„Biblia dla dzieci" ma szczególną strukturę. Dzięki tej książce będziecie mogli zapoznać swoje dziecko z Biblią w taki sposób, że stanie się ona radością dla jego serca i będzie łatwa do zapamiętania. Książka ta będzie szczególnie przydatna, jeżeli znajdziecie teraz trochę czasu, by przed rozpoczęciem wspólnego z dzieckiem czytania zapoznać się z następującymi wytycznymi.

Głośne czytanie tej książki stanie się przeżyciem

Czas spędzony z naszymi dziećmi na głośnym czytaniu jest czasem wzajemnego zbliżenia. Żadne inne przeżycie nie zastąpi tego czasu, który stanowi cudowny budulec wspólnoty.

Książka pisana była z myślą, że będziecie ją głośno czytali. Różni się ona zasadniczo od elementarza służącego pierwszym próbom czytania. Zobaczycie, że jest napisana prostym językiem dzieci i zamiarem autora nie było zapoznanie czytelnika ze specjalnie dobranym słownictwem. Słowa użyte w tej książce odpowiadają potocznemu językowi dzieci w wieku przedszkolnym i dzieci ze szkoły podstawowej.

Włączanie dziecka do akcji dzięki używaniu czasu teraźniejszego

Napotkacie w tej książce świadome przechodzenie w opowiadaniu do czasu teraźniejszego. Przeważnie wydarzenie z przeszłości opowiada się w czasie przeszłym. Tego się oczekuje i nikogo to nie dziwi. Patrzymy wstecz na wydarzenia biblijne i powołujemy się na to, co już się stało.

Tu jednak często zdarzy się Wam spotkać niewymuszone przejście od czasu przeszłego w teraźniejszy. Jest to świadoma próba włączenia dziecka w historię biblijną tak, by stała się ona dla niego czymś żywym. W ten sposób Wasze dziecko bierze bezpośredni udział w wydarzeniach. Z punktu widzenia słuchającego dziecka to, co dzieje się w opowiadaniu, nie jest jakimś wydarzeniem z zamierzchłych czasów, które działo się w obcym kraju i w innym kręgu kulturowym. Jest to raczej coś, co Wasze dziecko przeżywa osobiście, w pierwszej osobie. Nawiązuje ono bezpośrednie stosunki z ludźmi, poznaje miejscowości, przedmioty, a nawet przeżywa emocje i włącza się w działanie bohaterów. Jest to głęboko odczuwane przeżycie zastępcze. Wychowawcy mówią nawet, że ten rodzaj zastępczych przeżyć stanowi pewną formę doświadczenia przenikającego do świadomości.

Takie przechodzenie z jednej formy czasu w drugą sprawia, że przeszłość i teraźniejszość nie są od siebie ostro oddzielone. Płynność czasu jest zamierzona i obie formy służą sobie nawzajem bez przestrzegania ścisłych rygorów.

Podczas nauki usunięte zostają bariery w postaci np. różnic czasowych, kulturowych czy w stylu życia. Dziecko Wasze staje się nagle żywą częścią znanej sobie historii biblijnej. Można przy tym zaobserwować, jak żywa staje się Biblia dzięki temu przybliżeniu. Dla Waszego dziecka ludzie z Biblii będą jego osobistymi przyjaciółmi, a nie imionami postaci z dawnych czasów.

1. Reakcja dziecka na postępowanie postaci biblijnej

Przypomnijcie sobie historię o Symeonie i Annie, którzy przyszli do świątyni, aby zobaczyć małego Jezusa. Anna z radosną niecierpliwością oczekuje ujrzenia Zbawiciela. Czytamy tam, że Anna chce wielu ludziom opowiadać o Jezusie, że Jezus jest jej Zbawicielem. I następuje pytanie: „Każdy z nas powinien o tym opowiadać, nie uważasz?" Pytanie to zmierza do zachęcenia dziecka, by robiło to samo, co postać z Biblii.

Postępowanie postaci biblijnej jest przykładowe, ale reakcja dziecka na postawione pytanie może być początkiem jego zainteresowania działaniem ludzi z Biblii i chęci pójścia w ich ślady.

2. Reakcja dziecka na oczywiste zjawiska ukazane na obrazku

Inny rodzaj reakcji możemy obudzić u dziecka na podstawie historii o aniele, który ukazał się pasterzom w noc narodzenia Jezusa. Tekst zaczyna się od słów: „Ci pasterze wpatrują się w coś dziwnego". Można od razu powiedzieć, co to jest i czytać dalej. Ale zamiast tego zadajemy pytanie: „Widzisz, co to jest?" Skłania ono dziecko do zajęcia się tym „czymś dziwnym" - jasnym światłem na obrazku.

Można tu na przykład zrobić krótką przerwę w czytaniu, aby dać dziecku sposobność znalezienia i pokazania tego jasnego światła. Można też zatrzymać się dłużej przy tym temacie i omówić go z dzieckiem.

3. Reakcja dziecka na ludzi w historii biblijnej

Historia pt. „Do arki Noego przybywają goście" opowiada o tym, jak Noe i zwierzęta wchodzą na pokład arki. Zwróćcie uwagę na pytanie: „Co powiedziałbyś Noemu, kiedy spadła pierwsza kropla deszczu?" Pomaga ona dziecku zastanowić się nad osobą Noego, a nie tylko biernie słuchać o tym, co on zrobił.

Pytanie to można też odwrócić, pytając dziecko o to, co osoba z Biblii powiedziałaby jemu. Nasuwa się również pytanie, co dziecko zrobiłoby będąc na miejscu osoby z Biblii.

4. Reakcja dziecka, która ujmuje historię biblijną w pewne ramy

„Czy byłeś już kiedyś na weselu?" - tym pytaniem zaczyna się historia pt. „Narzeczona dla Izaaka". Pytanie to kieruje uwagę dziecka na zjawisko wesela. Chodzi o to, aby uwypuklić różnice między weselem w obecnych czasach, a weselem w czasach biblijnych. Dziecko rozumie łatwiej, w jaki sposób Rebeka została narzeczoną Izaaka. Zauważy również różnice kulturowe.

5. Reakcja dziecka na zamierzoną dydaktykę historii

W każdej historii znajdziemy zamiar pouczenia, co równie dobrze można nazwać zamiarem nauczenia się czegoś. Bardzo często zamiar ten ujawnia się jako konkluzja przy końcu opowiadania. Niekiedy również rozwija się krok po kroku w trakcie przebiegu historii. A bywa też tak, że historia od tego się zaczyna.

I tak na przykład w historii pt. „Dary dla Domu Bożego", w której ludzie przynoszą swoje dary na budowę Przybytku, zamiar dydaktyczny leży w tym, by obudzić w dziecku pragnienie ofiarowania Bogu czegoś dla upiększenia Jego Domu. Historia ta zaczyna się od zdań: „Czy ty również chciałbyś coś podarować Bogu? Ci ludzie właśnie to robią."

Tu zamiar dydaktyczny zupełnie wyraźnie występuje już na początku historii.

Dziecko zostaje pobudzone do myślenia o tym, co chciałoby ofiarować Bogu i myśl ta towarzyszy mu aż do końca czytanego opowiadania.

We wszystkich historiach znajdziecie liczne tego typu pomysły mające na celu sprowokowanie reakcji dziecka. Powinniście więc nad każdą historią zastanowić się w spokoju, aby podczas czytania dziecku nie przeoczyć właściwego celu - reakcji Waszego dziecka.

„Działanie" - gdy opowiadania są czymś więcej niż tylko opowiadaniami

W książce tej znajdziecie 175 „opowiadań". Historie te są jednak czymś więcej niż tylko opowiadaniami w tradycyjnym sensie. A oto niektóre różnice:

Tradycyjne opowiadanie utrzymane jest przeważnie w jednej i tej samej formie czasowej. Mamy więc czas przeszły, albo teraźniejszy, albo przyszły. W tych historiach natomiast czasy się zmieniają, jak to opisaliśmy już w podrozdziale „Włączanie dziecka do akcji dzięki używaniu czasu teraźniejszego". Jak zapewne pamiętacie, podkreślaliśmy tam znaczenie osobistego przeżywania przez dziecko wydarzeń, gdy są one opisane w czasie teraźniejszym.

Używanie obrazków prowokujących do działania, jak to opisano w podrozdziale 1. „Reakcja dziecka na postępowanie postaci biblijnej", nie może być uważane za typowe dla opowiadań historycznych. Tu jednak zastosowaliśmy ten sposób świadomie, z zamiarem wciągnięcia dziecka w nurt wydarzeń biblijnych i posunięcia się jeszcze krok dalej, a mianowicie wywołanie jego reakcji na określone zdarzenie.

Historie w tej książce nie zaczynają się w określonym czasie, aby potem przebiegać chronologicznie od początku do końca. Szczegóły wydarzenia też nie są podawane w uporządkowanej kolejności.

Jak zapowiada tytuł, książka ta nie jest właściwą Biblią w tradycyjnym znaczeniu, ale właśnie Biblią z obrazkami. Dzięki tym obrazkom i dzięki utożsamianiu się dziecka z tym, co jest na nich pokazane, będziecie razem ze swoim dzieckiem nie tylko czytali te historie, ale również je „odkrywali".

Przy końcu każdego opowiadania Wasze dziecko będzie wiedziało, co się w nim działo i jakie osoby w nim występowały. Będzie więc miało pojęcie o historii mimo, że opowiedziana została w niekonwencjonalny sposób. Do zawartych w opowiadaniu tradycyjnych elementów dziecko będzie miało zupełnie osobisty stosunek. Dzięki prowokowaniu reakcji dziecka, przejdzie ono z biernej początkowo postawy do aktywnego działania, przy bezpośrednim Waszym współdziałaniu.

"Czytane" obrazki łatwiej się zapamiętuje niż czytane słowa

Normalnie pod pojęciem „czytania" rozumie się czytanie słów. Istnieje jednak metoda czytania łatwiej zapadającego w pamięć niż czytanie słów. Nazywamy ją „czytaniem obrazków".

Metoda ta często bywa przez nas zaniedbywana, ponieważ nie jest na ogół stosowana w szkole. Jest jednak metodą tak elementarną, że nawet zupełnie małe dziecko może z niej korzystać z radością. Czytanie obrazków pobudza myśli i wyobrażenia dziecka. Dzięki niemu dziecko włącza się w tok wydarzeń i utożsamia się z określonymi osobami.

Niekiedy do czytania obrazka zachęca przeczytanie samej historii. Najczęściej jednak możemy skłonić dziecko do tego przy pomocy paru krótkich zdań, które zamieszczone są po każdym opowiadaniu pod tytułem „Co tu widzisz?" Mamy nadzieję, że dzięki czytaniu obrazków w dziecku Waszym rozwiną się następujące umiejętności:

1. Widzenie rzeczy, które przeważnie pozostają niezauważone

Czy byliście już kiedyś z Waszym dzieckiem na spacerze w lesie? Czy przystawaliście, by obejrzeć budowę liścia, rysunek kory drzewa czy pracowitą krzątaninę mrówek? Wszystko to bardzo łatwo jest przeoczyć, zwłaszcza gdy jedzie się samochodem lub rowerem.

Jeżeli jednak zatrzymacie się przez chwilę wśród lasu, to odkryjecie wraz z Waszym dzieckiem rzeczy, które większość ludzi widzi rzadko. Razem odkryjecie cuda Bożego stworzenia i oboje wzbogacicie się przez te odkrycia.

Przy czytaniu obrazków również ważne jest, by zwracać uwagę na rzeczy, których często się nie zauważa, jak na przykład ubranie postaci biblijnych, wyraz ich twarzy lub zachowanie i czynności, które wykonują. Można nie śpiesząc się obejrzeć urządzenie pokoi, odnaleźć takie przedmioty, których dziś już nie używa się i takie, które dziś jeszcze mamy w swoim domu.

Takie ciche zatrzymanie się nad obrazkiem, odkrycie czegoś nieoczekiwanego i zastanowienie się nad tym, wpływa bardzo korzystnie na rozwinięcie się w Waszym dziecku wyobraźni. W programach telewizyjnych wszystko dzieje się ogromnie szybko, stwarzając fałszywe wyobrażenie, że „im szybciej, tym lepiej". Dziecko Wasze musi jednak nauczyć się pochylania w ciszy nad najmniejszymi przejawami życia, które w rozstrzygającej mierze kształtują świat wyobraźni. Ta książka pomoże Wam praktycznie uporać się z tym zadaniem, tak ważnym w życiu Waszego dziecka.

2. Porównywanie i przeciwstawianie osób i rzeczy przedstawionych na obrazku

Wasze dziecko uczy się porównując i przeciwstawiając osoby i rzeczy przedstawione na tym samym obrazku. Możecie na przykład pomóc dziecku przeprowadzić porównanie ubioru rzymskiego żołnierza z ubiorem innej osoby znajdującej się na tym samym obrazku. Możecie też pokazać, jak bardzo różni się kolorowy płaszcz, jaki dostał Józef, od ubioru jego braci.

Bardzo pouczające jest też porównywanie i przeciwstawianie wyrazu twarzy różnych osób, jak również porównywanie różnych przedmiotów, sposobów zachowania i działania. Można też zastanowić się razem z dzieckiem nad przyczyną zmiany wyglądu i ubioru niektórych postaci.

3. Porównywanie i przeciwstawianie stylu życia dawniej i dziś

Nasz dzisiejszy styl życia różni się bardzo od stylu życia ludzi biblijnych. Czytanie obrazków ukazuje podobieństwa i różnice stylów.

Porównywanie przedmiotów z czasów biblijnych z przedmiotami używanymi dziś sprawi dziecku wiele radości. Będzie się też cieszyło wyszukując podobieństwa i różnice w krajobrazie, architekturze, środkach transportu, zwyczajach itd.

Pamiętajcie zawsze, aby zrobić przerwę w czytaniu i porozmawiać z dzieckiem o tych rzeczach. Żyjemy dziś zupełnie inaczej, ale czy na pewno lepiej?

4. Znajdowanie i liczenie różnych elementów obrazka

Dziecku sprawia radość policzenie stojących w pokoju dzbanów, czy owiec na polu. Jest w tym coś więcej niż tylko oswojenie z liczbami. Jest to okazja do wyrobienia w dziecku nawyku badania i obserwowania. Pytanie: „A gdzie jest szósty pasterz?", zachęca dziecko do poszukania na obrazku czegoś, co łatwo mogłoby zostać pominięte. Dla dziecka szukanie albo liczenie różnych rzeczy jest zabawą dającą wiele radości.

5. Opisanie różnych części całości

Na obrazek składa się wiele części. Jest on sumą wielu akcji, osób lub przedmiotów. Przez czytanie obrazka możecie pomóc Waszemu dziecku włączyć się w wydarzenia tam przedstawione i spostrzec różne elementy obrazka.

W historii Rut dziecko z radością zajmie się poszukiwaniem: 1. gdzie jest Rut, 2. co robi (zbiera kłosy), 3. gdzie stoi jeszcze zboże, 4. gdzie stoją snopki, i 5. gdzie Boaz i jego przyjaciele stoją obserwując Rut przy pracy.

Przy czytaniu obrazków Wasze dziecko uczy się, że na całość obrazka składa się wiele elementów, z których nie wszystkie opisane są w opowiadaniu. Zbyt często zadowalamy się uwagą, jak np. „ Na tym obrazku pokazane jest, jak Rut zbiera kłosy", i czytamy dalej, rezygnując z jakiegokolwiek komentarza. Obrazek jednak mówi o wiele więcej i wchodząc w szczegóły na każdym obrazku, pomagacie kształtować dziecku fantazję, nawyk badania i dar obserwacji.

6. Wyszukiwanie rzeczy wzbogacających samo opowiadanie i jego tło historyczne

W historii pt. „Samuel namaszcza Dawida", Samuel wylewa coś na głowę Dawida. Pokazane jest to na obrazku.

I tak na przykład , dzięki czytaniu obrazka i dodatkowym objaśnieniom, Wasze dziecko dowiaduje się, że oliwę przechowywano w rogu zwierzęcym, że wylanie oliwy na głowę nazywa się namaszczeniem i że Dawida namaszcza się na znak, że będzie on kiedyś królem.

Nawet najdrobniejsza informacja, jaką otrzymuje dziecko pomaga mu lepiej zrozumieć tło historyczne, a tym samym całe opowiadanie. W obrazku zawartych jest o wiele więcej informacji niż samo tylko stwierdzenie, że „Samuel namaszcza Dawida". Składa się on z wielu rzeczy mających tło biblijne, których punktem kulminacyjnym jest fakt, że „Samuel namaszcza Dawida". Tym samym dziecko zapoznaje się od razu z tłem historycznym, a to dopiero czyni opowiadanie pouczającym i żywym.

7. Podejmowanie decyzji, jak postąpić w danej sytuacji

Możemy zapytać dziecko: „Co byś zrobił, gdybyś tam był?" albo „O co spytałbyś tę osobę, gdybyś mógł?" Tego rodzaju pytania wynikają z czytania obrazków. Sąd i decyzja powstają w oparciu o rzeczy, które widzi dziecko.

Tego rodzaju ćwiczenia pozwalają Wam na obserwację dziecka zanim wyda ono sąd o czymś albo wyrobi sobie zdanie na jakiś temat. Obserwacja taka nie będzie przypadkowa, ale oparta na wyszukiwaniu różnych elementów, które dziecko zechce z Wami omówić zanim wyrobi sobie własne zdanie lub podejmie decyzję.

8. Odkrywanie możliwości zastosowania pewnych postaw we własnym życiu

Największą zachętą do czytania obrazków dziecko znajduje w samej historii, albo w następującej po niej rubryce pt. „Co tu widzisz?" Natomiast większość pytań skłaniających do praktycznego zastosowania pewnych postaw zawiera kończąca każdą historię rubryka pt. „Odpowiedz na pytania". Niektóre takie pytania znajdują się w samym opowiadaniu.

Czytanie obrazków połączone z pytaniami kładzie podwaliny pod wartości, które dziecko zachęcone do zastanawiania się, zechce przenieść do swego codziennego życia. A to jest w stanie sprawić, że dziecko zwróci się ku Dobru.

Dydaktyczny sens rubryki „Odpowiedz na pytania"

Rubryka „Odpowiedz na pytania" daje Wam okazję do wymiany myśli z Waszym dzieckiem. Pytania są różnego rodzaju. Niektóre dotyczą samych faktów i wymagają od dziecka, by przypomniało sobie coś, co widziało lub czego się dowiedziało. Inne pytania skłaniają do wyciągnięcia ze znanych faktów wniosków, co do przyczyn lub zamiarów. Jeszcze inne są próbą przeniesienia prawd biblijnych na grunt codziennego życia dziecka.

Pytania przyczyniają się do powstania społeczności między Wami – jako pytającymi, a dzieckiem, które odpowiada. Budowanie tej ważnej struktury między innymi za pomocą wezwania „Odpowiedz na pytania", pozostawi w pamięci dziecka trwały ślad.

Podsumowując można stwierdzić, co następuje. Tytuł książki „Biblia dla dzieci" wyjaśnia: 1. że jest to Biblia z obrazkami, a nie księga historyczna, jaką jest Biblia; 2. że czytanie obrazków stanowi istotną część książki; 3. że zajmujące przeżycia pomagają stworzyć między Wami – czytającymi, a dzieckiem Waszym – słuchaczem, więź o decydującym znaczeniu.

Przeżycia związane z głośnym czytaniem przyczyniają się do powstawania tych więzi i sprzyjają poczuciu wspólnoty między dzieckiem, a nauczycielem bądź rodzicami. Dzięki zajmowaniu się Słowem Bożym dziecko nabiera osobistego stosunku do Boga i czuje się włączone do działań Bożych.

Nie wahajcie się dodawać własnych pytań i uwag do czytanego tekstu. W książce tej powinniście znaleźć różnorodną pomoc w biblijnym nauczaniu swojego dziecka. Byłoby doskonale, gdyby książka ta stała się dla Was bodźcem do wyjścia poza jej ramy i zajęcia się również innymi zagadnieniami Biblii.

Przede wszystkim mamy nadzieję, że ta książka zachęci Wasze dziecko do możliwie częstego rozmawiania z Wami o jego osobistym stosunku do Jezusa Chrystusa jako naszego Pana i Zbawiciela. Jednocześnie pragnęlibyśmy, abyście zawsze mieli czas i ochotę na regularną modlitwę z Waszym dzieckiem.